総合判例研究叢書

民事訴訟法（4）

訴　訟　物……………………小山　昇

有　斐　閣

民事訴訟法・編集委員

兼子 一
中田淳一

序

フランスにおいて、自由法学の名とともに判例の研究が異常な発達を遂げているのは、その民法典が百五十余年の齢を重ねたからだといわれている。それに比較すると、わが国の諸法典は、まだ若い。最も古いものでも、六、七十年の年月を経たに過ぎない。しかし、わが国の諸法典は、いずれも、近代的法制を全く知らなかつたところに輸入されたものである。そのことを思えば、この六十年の間に極めて重要な判例の変遷があつたであろうことは、容易に想像がつく。事実、わが国の諸法典は、それに関連する判例の研究でこれを補充しなければ、その正確な意味を理解し得ないようになつている。

判例が法源であるかどうかの理論については、今日なお議論の余地があろう。しかし、実際問題として、多くの条項が判例によつてその具体的な意義を明らかにされているばかりでなく、判例によつて特殊の制度が創造されている例も、決して少なくはない。判例研究の重要なことについては、何人も異議のないことであろう。

判例の創造した特殊の制度の内容を明かにするためにはもちろんのこと、判例によつて明かにされた条項の意義を探るためにも、判例の総合的な研究が必要である。同一の事項についてのすべての判決を探り、取り扱われた事実の微妙な差異に注意しながら、総合的・発展的に研究するのでなければ、判例の研究は、決して終局の目的を達することはできない。そしてそれには、時間をかけた克明な努力を必要とする。

幸なことには、わが国でも、十数年来、そうした研究の必要が感じられ、優れた成果も少なくないようになつた。いまや、この成果を集め、足らざるを補ない、欠けたるを充たし、全分野にわたる研究を完成すべき時期に際会している。

かようにして、われわれは、全国の学者を動員し、すでに優れた研究のできているものについては、その補訂を乞い、まだ研究の尽されていないものについては、新たに適任者にお願いして、ここに「総合判例研究叢書」を編むことにした。第一回に発表したものは、各法域に亘る重要な問題のうち、研究成果の比較的早くでき上ると予想されるものである。これに洩れた事項でさらに重要なもののあることは、われわれもよく知つている。やがて、第二回、第三回と編集を継続して、完全な総合判例法の完成を期するつもりである。ここに、編集に当つての所信を述べ、協力される諸学者に深甚の謝意を表するとともに、同学の士の援助を願う次第である。

昭和三十一年五月

編集代表
小野清一郎　宮沢俊義
末川博　我妻栄
中川善之助

凡例

一　判例の重要なものについては、判旨、事実、上告論旨等を引用し、各件毎に一連番号を附した。

二　判例年月日、巻数、頁数等を示すには、おおむね左の略号を用いた。

大判大五・一一・八民録二二・二〇七七　（大審院判決録）

（大正五年十一月八日、大審院判決、大審院民事判決録二十二輯二〇七七頁）

大判大一四・四・二三刑集四・二六二　（大審院判例集）

最判昭二二・一二・一五刑集一・一・八〇　（最高裁判所判例集）

（昭和二十二年十二月十五日、最高裁判所判決、最高裁判所刑事判例集一巻一号八〇頁）

大判昭二・一二・六新聞二七九一・一五　（法律新聞）

大判昭三・九・二〇評論一八民法五七五　（法律評論）

大判昭四・五・二二裁判例三・刑法五五　（大審院裁判例）

福岡高判昭二六・一二・一四刑集四・一四・二一一四　（高等裁判所判例集）

大阪高判昭二八・七・四下級民集四・七・九七一　（下級裁判所民事裁判例集）

最判昭二八・二・二〇行政例集四・二・二三一　（行政事件裁判例集）

名古屋高判昭二五・五・八特一〇・七〇　（高等裁判所刑事判決特報）

東京高判昭三〇・一〇・二四東京高時報六・一一・民二四九　（東京高等裁判所判決時報）

札幌高決昭二九・七・二三高裁特報一・二・七一　（高等裁判所刑事裁判特報）
前橋地決昭三〇・六・三〇労民集六・四・三八九　（労働関係民事裁判例集）
その他に、例えば次のような略語を用いた。
裁判所時報＝裁　時　　家庭裁判所月報＝家裁月報
判例時報＝判　時　　判例タイムズ＝判　タ

訴訟物　目次

小山昇

訴訟物

小山昇

はしがき

本稿においては、判例をかなり細かく分類している。しかし、それは、分類を目的としたのではない。分析の一方法として、ひとまず分類したのである。分析の目標は、訴訟物の特定に関係がありそうに思われる（関係がある場合と、関係がない場合とを問わず、そのことの確定は後の問題として）諸要素が判例においてどのように取扱われているかを知るために、事件を、それらの諸要素を中心として解体することにあつた。各判例の事件をいつたん解体して、各判例の事件に共通の要素が各判決によつて共通に取扱われているという現象が認められたならば、それを資料として、判例の統一的な綜合的な姿を（そういうものがあると考えられるならば）構成してみようと思つたのである。とはいうものの、分類には、必然的に分類の基準がある。それは、しかし、同一範疇の下にまとめられた諸判例自体から汲みとつてもらいたい。範疇に仮りに与えられた表題にはとらわれずに。また、便宜上、例外的に、ある角度からみれば別な範疇に入るべき判例をもその範疇に入れた、という場合もある。

序章

一　本稿は、判例が、訴訟物として、なにを考えているか、を知ることを目的とする。だが、それを、どのような方法で、知ることができるであろうか。例えば、訴訟物が既に係属中の別訴のそれと同一であるという理由で訴却下の判決があつたとしよう。この判決において判例として意味をもつのは、当該の場合には二重起訴になるという判断である。このような判断は二三一条の適用される場合のひとつを具体的に示すことになる。このような判断が可能であるためには、しかし、訴訟物とは何かが確定していることが必要である。したがつて、右判断の前提には、訴訟物についての一定の考え方がある。しかし、この訴訟物観は、判決において、判例として意味をもつものそれ自体ではない。それを理由づけるものである。しかし、訴訟物観は、判決において、右のような姿においてしか現われない。したがつて、そのような姿であれ、そういう姿においてこれをとらえることは可能であり、反面それよりほかの方法でとらえることはできない。

二　判決が判例として意味をもつところの、いわゆる判旨としての判断の、前提としての訴訟物観を、判旨又はその理由づけのなかから探りとることは、判旨そのものを対象とする研究とは異なる。この意味で、本稿における判例の分析は、いわゆる判例研究とは若干異なるものである。

三　判決の訴訟物観を知るには、一定の訴訟物観を直接の前提としなければ判決理由がつけられないような事件を拾えばよい。このような事件の主なものとしては、請求の併合又は変更が許されるかどうか、当事者の申立てない事項について審判されたかどうか、（一） 請求についてすでに既判力が生じているかどうか、（二） 二重起訴になるかどうか、取下げた訴と同一かどうか、などが争われた事件があげられる。さらに、裁判所が、例えば、請求の変更に該当しない事件としてとり扱い、それが、変更であると争われなかつたために、請求の変更がなかつたものとして審理が進んだ事件も、訴訟物観を知る資料として拾われるべきであろう。訴訟物観が審理の進め方の前提になつているからである。

（一） 旧民訴二三一条「ニ所謂事物トハ猶事物ノ管轄ト云フ場合ノソレノ如シ本案タル訴訟物ノ義ニ外ナラス」（大判昭二・四・二七民集六・二〇九、同旨、大判昭五・一一・一五評論一九民訴五八九、大判昭七・一二・一七新聞三五二一・一二）「民訴一八六条にいう「事項」とは訴訟物の意味に解すべきである」（最判昭三三・七・八民集一二・一一・一七四〇）

（二） 「確定判決ノ実質的効力ナル一事不再理ノ要ハ前訴ニ於ケル裁判ヲ以テ是認又ハ否定シタル訴訟ノ目的タル請求ニ付キ更ニ反対ノ裁判ヲ求ムルコトヲ禁スルニ在ルヲ以テ前訴訟ニ於ケル判決カ後ノ訴訟ヲ妨クル効力即チ其訴訟事件ニ付キ確定ノ効力ヲ有スルヤ否ノ問題ハ同一当事者ナル事項ノ外前訴訟ノ目的ハ後ノ訴訟ノ目的ト同一ナルヤ否ニ因リテ決セサルヘカラス」（大判明三五・一・一八民録八・一・一五）。「凡ソ判決ハ当事者ノ提出シタル請求ヲ是認シ又ハ否認シタルモノ」（大判明三五・四・一四民録八・四・三七）。

四　これらの事件における判決がその他の事件における判決に比べて、訴訟物観を知る資料として適当であるのは、次のような理由にもとづく。これらの事件においては、ある訴訟物と他の訴訟物とが同一であるかないかが問題である。訴訟物が同一であるか異別であるかの判断は、訴訟物観の一定なしには、これをよくしえない。したがつて、訴訟物が同一であるか異別であるかの判断から、一定の訴訟物観をある程度知ることができる。

五　以上のような狙いで、本稿では、右のような判決が集められ、かつ、分析される。分析は、もっぱら、判例の訴訟物観の像をつくるという視点で、行われる。判例を批判することは本稿の目的ではない。判例にあいまいな点や矛盾（判決自体の中にであれ、判決相互の間にであれ）があれば、そういうものとしてそれを明らかにしておきたい。裁判官の訴訟物観は人によりまちまちであろう。しかし、裁判所の訴訟物観は単個であるはずである。それがどんなものかを、なしうるかぎり、明らかにしてみたい。

六　判例は主として、次に掲げる判例集から集めた。大審院民事判決録、大審院民事判例集、法律新聞、大審院裁判例、法律評論、最高裁判所判例集（一五巻五号まで）、高等裁判所判例集（一四巻三号まで）、東京高等裁判所判決時報（一二巻四号まで）、下級裁判所民事裁判例集（一一巻一号まで）、判例時報、判例体系。

一　訴訟物の要素

判例が、「訴訟物」と「訴訟上の請求」とに、同一内容を与えているか、それとも異った内容を与えているかは、どうも、明らかでない。この問題については、しかし、細かく検討することは、省略されてよいであろう。本稿は、名称はどうであれ、当事者が申立てた事項（＝審判の対象）として、判例が、なにを考えているかを知ることを目的とするからである。

裁判所は、原告対被告の関係において、請求の当否について判断をする。請求の因つて生ずる原因を除けば、請求の当事者、請求の態様（給付、確認、形成）、請求の目的物（金銭請求における金銭、物の引渡請求における物）の量的範囲または質の程度は、その変更があれば、請求の変更があるという意味において、請求（＝訴訟物）の要素と考えられているのであろうか。これを、まず、調べることにする。

一　当事者

（一）　例えば、同一物の所有権確認請求であっても、X_1のYに対するそれと、X_2のYに対するそれとでは、訴訟物は別異であり、XのY₁に対するそれと、XのY₂に対するそれとでは、訴訟物は別異である、ということについては、判例を引用するまでもなく、判例はこれを肯定しているといってよいであろう。

最近の判例では、例えば、

【1】　共有者の一部の者が共有物につき明渡の訴を提起している場合に他の共有者がその物につき同一人に対し明渡の訴を提起した場合、前後二つの訴訟は、二重訴訟の関係には立たない（神戸地判昭二八・一二・二三下級民集四・一二・一九三五）。「すなわち、賃借中の共有不動産につき賃貸借の合意解約或は無断転貸を理由とする賃貸借の解約を理由として該不動産の明渡を求める場合だとか、共有不動産の不法占拠を理由としてその明渡を求める場合はいずれも共有者はその管理行為として各自単独で或は数人共同して明渡の訴訟を提起することができるし、必ずしもその者に対する判決の効力が訴を提起しなかつた他の者に対し及ぶと解しなければならない理由はないから」で（同前）ある。

（二）　固有の必要的共同訴訟の場合に、当事者数人にもかかわらず訴訟物は単一であると考えているのか、それとも、訴訟物も当事者の数だけあると考えているのかは、判例に、明らかには現われていない。

(三)　例えば、X_1対Yの訴訟の判決の効力がX_2に及ぶ場合に、X_1対Yの訴訟に、X_2がX_1の共同訴訟人として七五条により参加をした場合、その参加訴訟においては、訴訟物は一個なのか、二個なのか。

右の場合、

【2】「民事訴訟法第七十五条に依り第三者が共同訴訟人として訴訟に参加したる場合は訴訟当事者の数を増加し自ら当事者に変更を生ずべしと雖も之が為に参加前の訴訟事件と参加後の訴訟事件とが同一訴訟事件たる性質を失ふものに非ざるは言を俟たず」(大判昭一五・五・一〇新聞四五八〇・八、法学一〇・八一)。

では、事件が同一とはどういうことか。例えば、

「従て原審が本件の参加人を共同訴訟人とする昭和六年(ネ)第一四〇二号事件の終局判決を為すに当り参加の申出無き以前に於て同裁判所の為したる本案前の判決に覊束さるる旨を判示したるは因より当然なり」(同上)。

だが、事件の同一は訴訟物の同一を意味するか。

【3】「民事訴訟法第七十五条ノ共同訴訟参加ハ其目的カ当事者ノ一方及第三者ニ付合一ニノミ確定スヘキ場合ニ限ルヲ以テ原告ノ参加人ハ其訴ト異リタル新ナル請求ヲ為スヲ得サルモノトス」(水戸地下妻支判昭九・七・一二新聞三七三一・八・一)。

従って、参加人の請求と従前の原告の請求とが異ってはならない。では、参加人の請求と従前の原告の請求は二個の同一の請求なのか、それとも単一の請求と把握されるのか。そのいずれであるか

を、うかがわせる判例はみあたらない。

（四）「訴訟ノ目的ノ全部又ハ一部ヲ自己ノ為ニ請求」すべく六〇条により訴を提起した場合、又は、「訴訟ノ目的ノ全部又ハ一部カ自己ノ権利ナルコトヲ主張」して、七一条の参加があつた場合に、参加人の訴において、訴訟物は二個か、それとも一個か。

【4】「訴訟ノ目的カ自己ノ権利ナルコトヲ主張シテ第三者カ民事訴訟法第七十一条ノ規定ニ依リテ訴訟ニ参加シタルトキハ裁判所ハ原告被告間ノ争ノ外参加人対原告、参加人対被告間ニ存スル争ヲ一個ノ判決ヲ以テ解決スヘク而シテ三個ノ当事者間相互ノ争ハ矛盾抵触スルトコロナク解決セラレサルヘカラス……」（大判昭一五・一二・二四民集一九・二四〇二）（同旨、東京高判昭二九・二・一八下級民集五・二・一八七）。

そこでは、参加人対原告の争と、参加人対被告の争は、別個の争であると考えられている。従って、おそらく、訴訟物もまた別個であると考えられているのであろう。だからこそ、

【5】「原告又は被告が参加人の主張、請求を全部認めて争わない場合においては、かかる者をも相手方としなければならないものではなく、争う者だけを相手方として参加の申立をしても差支ないものと解するを相当とする」（最判昭二七・三・四民集六・三・二八九）（同旨、大判昭一四・九・二評論二八民訴三八四、判決全集六・二九・二一）。

し、また、参加人と原告とは、本来互に相手方である関係に立つのである（大判昭七・六・一八民録一一・一一八一）。

（五）七三条の参加、七四条の引受があつた場合について。

【6】「民訴七三条、同七四条の両規定は相俟って訴訟の目的たる権利または債務の承継人及び相手方に対し既存の訴訟状態を自己のために利用する機会を平等に与えるために設けられたものと解するを相当とする。……それ故に、民訴七三条の趣意は承継人が自ら進んで既存の訴訟に加入しうることを認めたもので

あり、また、同法七四条の趣意は従来の訴訟の当事者が承継人を強制して訴訟に参加せしめうることを認めたものであって、その承継人は訴訟の目的たる権利または債務のいずれの承継人たるを問わないものと解すべきである。」(最判昭三二・九・一七民集一一・九・一五四〇)。

では、例えば権利参加人の請求は、参加前の原告の請求と同一か。

【7】 参加申出が、参加申出人ZがXY間の訴訟の目的たる手形金債権をその権利者たる原告Xから譲り受けたことを理由とする場合、

「本件ZはYのみを相手方としてその申出をしているが、此の権利者参加訴訟はXに於てZの主張請求を認めて争わないときはYのみを相手方としてなすことを許されるものと解すべきであるが、本件に於てXはZの主張請求を争わない旨の意思表示をなさないのは固より従来の自己の請求を依然維持している所から見れば、当然之を争っているものと言うの外はないから、権利者参加申出をするには、Y、X両名を相手方としてなすべきであって、Yのみを相手方としてなした本件参加申出は不適法と断ずべきである。」(名古屋高判昭三〇・七・一九下級民集六・七・一五二六)

Zは、Xを相手方とすることもできるし、Yのみを相手方とすることもできるのである。そうすると、XのYに対する請求とZのYに対する請求とは、ZがXを相手方とする場合はもちろん、そうでない場合でも、別異のものであると考えられているといってよいであろう。ある特定の、手形金債権(物的要素のみをとりあげた場合)という点では、同一性(公約数とでもいえよう)があるのだけれども。ところが、

【8】 Z対Yの所有権確認の訴の上告審係属中に、その控訴審終結後にZから目的物(建物)を譲受けたXがYを相手として所有権確認の訴を起した場合

「前訴の判決が確定すればXは該判決の既判力を前訴の当事者たるZと共に受ける関係上……Zの前訴と

本訴とは実質的に当事者並に訴訟物を同じくするものであつて同一の訴である……そうだとすると……二重訴訟禁止の規定に牴触する……」（秋田地判昭三〇・二・九下級民集六・二・二四八）。

（六）債権者の代位訴訟と債務者の訴訟とでは、訴訟物は同一であろうか。

【9】「債権者代位権の行使は、債務者がみずから権利を行使しない場合に限り許されるものと解すべきである。債務者がすでに自ら権利を行使している場合には、その行使の方法又は結果の良いと否とにかかわらず、債権者は債務者を排除し又は債務者と重複して債権者代位権を行使することはできない」（最判昭二八・一二・一四民集七・一二・一三八六）。

逆もまた同様である。

【10】「債権者カ民法第四二三条第一項ニ依リ適法ニ代位権ノ行使ニ着手シタルトキハ債務者ハ其ノ権利ヲ処分スルコトヲ得サルモノニシテ従テ債権者ノ代位後ハ債務者ニ於テ其ノ代位セラレタル権利ヲ消滅セシムヘキ一切ノ行為ヲ為スヲ得サルハ勿論自ラ其ノ権利ヲ行使スルコトヲ得サルモノト解スルヲ相当トス」（大判昭一四・五・一六民集一八・九・五五七）。

つまり

【11】「債権者が民法第四二三条第一項により代位権を行使して第三債務者に対し訴を提起した場合、債務者に対しその事実を通知するか又は債務者がこれを了知したときは、債務者はこれと同一な訴を提起することは勿論、訴と同一効果を生ずる民訴法第七一条による当事者参加の申出をすることはできない……」（大阪高判昭三四・八・二九下級民集一〇・八・一七九一）。

逆もまた同じであろう。

【12】土地賃借人XのYに対する建物収去土地明渡の訴に、土地所有者Zが七一条の参加をして、Xに対し

賃借権設定登記の抹消を、Yに対し土地明渡を訴求した。「Xが、Zに対する賃借権者であるとして、ZのYに対する土地所有権に基く明渡請求権を代位行使する訴を起したのちに、さらに、Zが、Xに右の賃借権が存することを認めたうえで、右と同じ土地明渡しの訴をYに対して起したとすれば、後の訴は前の訴との関係で民事訴訟法第二百三十一条の禁止する再訴にあたるとみるのが相当である。債権者が債務者の権利を代位行使した場合には、実体上その効果は債務者に帰属し、代位権を行使して起した訴の判決の効力も債務者に及ぶと解するべきであるからである。しかしXがZに対する賃借権者であるとしてYに対して前記の訴を起したのちに、Zが、Xに右の賃借権が存することを争い、Xに対して賃借権設定登記の抹消登記手続を求める訴を、Yに対して所有権に基き土地の明渡しを求める訴を起した場合においては、後の訴と前の訴との間には二重訴訟の関係はないとみるのが相当である。前の訴は、XがZに対して賃借権をもつていることは認められないという理由ですなわち、訴訟物であるZのYに対する土地明渡し請求権の存否にふれることなくして、斥けられるおそれがある(この場合にはその判決の効力はZには及ばない)だけでなく、Zとしては、Xの起した前の訴にかかわらず、後の訴を起すことにつき十分な利益をもつており、結局、前の訴訟と後の訴訟とは別の紛争とみることができるからである。」よつて、Zの参加申出は適法(東京地判昭三五・六・一三下級民集一一・六・一三〇六)。

しかし、右の趣旨に反して、訴が提起された場合はどう扱われるか。

【13】「然ラハA村ニ於テXヨリ代位権行使ニ著手シタル事実ニ付通知ヲ受ケタル後又ハ受ケサルモ該事実ヲ了知シタル上殊更ニ右訴ヲ提起シタルモノトセハ其ノ訴ハ理由ナキモノトナル……」(大判昭一四・五・一六)。

「理由ナキモノトナル」の意味及び根拠が明らかでない。おそらく不適法というのであろう。

【14】XがZに代位してYに対しYの取得登記の抹消を求める訴を起した後に、ZがYに対し、同じ訴を起した場合、「右Zの提起した訴訟が重複訴訟として禁止されるところであつて、その訴は当然に不適法であ

り却下されるべきものであるから、右Zの訴の提起は本件訴訟に対する代位権行使の要件を欠缺せしめるものでない」（東京高判昭三三・五・一六判決時報九・五民七九）。

不適法であるという根據はなにか。二重起訴（事件の同一）になるというのであろう。しかし、訴訟物が同一というのではあるまい。

（七）両訴において原告と被告の地位が逆になつているだけで、両訴の物的要素としての請求が形式上同一である場合はどうか。

【15】XのYに対するある土地の所有権の確認の訴の係属中に、YがXに対し、同一地の所有権の確認の訴を提起した場合には、前訴において、「X敗訴ノ判決アリ右判決確定シタル場合ニ於テハ単ニ前記土地カXノ所有ニ非サルコト確定スルニ止マリ進ンテ右土地カYノ所有ニ属スルヤ否ノ点迄確定セラルルモノニ非ス此ノコトハ仮令右判決ノ理由ニ於テ該土地カYノ所有ニ属スル旨認定セラレタル場合ニ於テモ何等異ナルトコロナキモノニシテ果シテ然ラハ本訴ノ訴訟物ト前記訴訟ノ訴訟物トハ全ク同一ニ非サルコトヲ知リ得ヘ」きものである（宮城控判昭一四・八・五新聞四四六六・一七）。

【16】XのYに対する賃借権不存在確認の訴において、同一賃借権の存在確認の反訴をYがXに対して起した場合、この両者の「実体は同一のものであり、本訴についての判決の既判力と反訴……についての判決の既判力とその範囲内容が全く同一である。従つて……反訴……は……二百三十一条により不適法……」（東京地判昭三〇・一〇・二八下級民集六・一〇・二二五六）

「実体」とは訴訟物のことであるのかないのか。

【17】「XがYに対し離婚の訴を提起し、YがXに対し、離婚の反訴を提起した場合、最高昭三一・二・二一民集一〇・二・一二四の第一審では、Xの離婚請求を棄却し、Yの離婚請求を認容しており、長野地方昭

三五・三・九下級民集一一・三・四九六はXの離婚請求とYの離婚請求と、両請求を認容しており、最高昭三五・六・一七民集一四・八・一四〇八の第一審では、Xの離婚請求を棄却し、Yの離婚請求を認容しており、この点については、上級審で変更されておらない」。

してみると、この場合にも、本訴と反訴の訴訟物は異別であると考えられているらしい。

二　請求の態様

(一)　給付と確認または確認と給付

【18】「Y等ハXカ既ニYニ対シテ本件請求権ニ関シ給付ノ訴ヲ起シナカラ更ニ同人ニ対シ其ノ請求権確定ノ訴ヲ提起スルハ民事訴訟法第二百三十一条ニ違反スルモノナリト云フモ彼ノ給付ノ訴カ棄却セラルヘキ理由ハ必スシモ請求権ノ存在ヲ否定スルモノニ限ラレサルヲ以テ見レハ給付ノ訴ト確定ノ訴トハ仮令同一請求権ニ係ルトキト雖モ訴訟物ヲ異ニシ之ヲ同一事件ナリト云フ可ラサルモノ」である(大判昭七・九・二二民集一一・一九八九)。

【19】「債権存在確定ノ訴ハ其債権関係自体ヲ以テ訴訟物ト為スニ反シ債権ニ基ク給付ノ訴ハ其債権関係ヨリ生スル請求権ヲ以テ訴訟物トスルモノナルヲ以テ債権関係ヨリ生シタル請求権ヲ是認シタル給付判決ノ確定力ハ債権不存在確定ノ訴ニ及フモノニ非サルコト明ナリ」(東京地判大七・一一・一九評論七民訴四五五)。

【20】「土地ノ所有権ニ基キ其ノ引渡ヲ求ムル訴訟ニ於テ之ヲ命シタル判決ハ其ノ引渡ノ請求権ニ付テノミ既判力ヲ生シ之カ既判力ハ其ノ前提タル所有権自体ニ及ハサルコト既ニ旧民事訴訟法ノ下ニ於テ当院ノ判示スルトコロニシテ(大正十年三月五日言渡判決同十五年二月一日言渡判決)此ノ判旨ハ新法タル改正法律ニ於テモ之ヲ異ニスヘキ理由ナキカ故ニ……」(大判昭八・一二・二二新聞三六六四・一二)。

つまり、給付請求と確認請求とは別請求である。だから、給付請求のなかには確認請求は当然には含まれず、給付請求の原告の請求権が弁済期未到来の場合には、請求棄却の判決をなすべきで、確認判決をすることは、その申立がないかぎり、許されない（大判大八・一二・六民録二五・二二七六）。

（二） 形成と確認（六の(三)と比べよ）

【21】 XのYに対する親族会決議取消請求訴訟の係属中に、XがYに対し同一親族会決議の無効確認の訴を提起した場合、「前訴ノ目的トスルトコロハ係争親族会議ノ有効ナルコトヲ前提スルニ在リ本訴ノ目的ハ其ノ決議自体ノ有効ナルヤ否ヤヲ確定スルニ在ルヲ以テ両訴ハ同一ニ非ルコト又別段ノ説示ヲ須ヒス」（東京地判大一五・九・一〇新聞二六一四・七）。

【22】 親族会決議に関し、「決議取消ノ創設ノ訴ト決議無効ノ確認ノ訴トヲ併合シテ提起スルコト毫モ妨ケラルルトコロニ非ス」（大判昭八・一一・七民集一二・二七〇〇）。

取消されるべき決議と無効である決議が同一決議であつても、その訴（＝その請求）は別異であると考えられている、ということができる。

（三） 境界確定と所有権確認

【23】 「Xが八十六番原野の入会権に基き、Y所有の八十三番山林と八十六番原野との境界確認を求めていたのを、八十六番原野上の立木の所有権確認を求めることに変更した場合、秋田地方昭三〇・八・九下級民集六・八・一五九〇は、これを訴の変更として扱つている」。

【24】 境界確定請求を所有権確認請求に変更することを仙台高等昭三四・七・三〇下級民集一〇・七・一五九〇は、請求の趣旨の変更による訴の変更とみている。そして旧訴は取下げられたとみている。しかし、民法一四九条の訴の取下ではないとしている。その理由は、「旧訴と新訴は、その請求の原因が全然同じであり、ただ単に請求の趣旨を境界確定から所有権確認に変更したに過ぎないのである。……旧訴で形成される実体上の権利関係と、新訴で確認される権利関係とは、その間にほとんど何らの差異がないのである。」

差異がないならば、なぜ訴の変更とみるのだろうか。

三　請求の目的物の量的範囲及び質の程度

（一）　請求の目的物の量的範囲を限定しないと訴訟物は一定性を欠くか。

【25】「訴状には……もし訴訟物が金銭債権であれば必ずその金額を一定してこれが範囲を明確にすることを要するのであつて、このことは、それが給付の訴であると確認の訴であるとにより毫も差異はないのである。ところで本件上告人の訴は不法行為を原因とする損害賠償債権存在の確認を求めるものであり、その訴訟物が金銭債権であることは記録上明白である。しかるに、上告人は本件訴状に右債権の金額を記載せず、その後も遂に訴訟物たる債権の一定金額を表示する措置を採らなかつたのであるから右訴は不適法として却下するの外は」ない（最判昭二七・一二・二五民集六・一二・一二八二）。

給付の訴と確認の訴とを区別していない点、不法行為を原因とする損害賠償請求権と通常の金銭債権とを区別していない点、が注目に値する。請求の目的物が、金銭でなくて、物の場合にはどうか。

【26】「本訴ハ被上告人カ本件係争ノ土地ニ付キ共有権アルコトヲ確認スヘキコトヲ求ムルモノニシテ確認ノ訴ナリトス抑モ給付ノ訴ニ於ケル訴訟物ハ請求権ニシテ確認ノ訴ニ於ケル訴訟物ハ法律関係ナリ給付ノ訴ハ執行シ得ヘキ判決ヲ得ルヲ目的トスルモノナレハ請求権ヨリ生スル給付ヲ求ムル原告ノ一定ノ申立ハ執行ニ際シ疑ヒナキ様明確ナルコトヲ要シ判決モ然ク明確ナルコトヲ要ス従ツテ請求ノ範囲カ数額ニヨリ確定シ得ヘキモノナルトキハ其数額（少クモ其計算ノ基礎）ヲ表示セサルヘカラス然ルニ確認ノ訴ハ法律関係ノ確定ヲ目的トスルモノナレハ原告人ノ一定ノ申立テ及ヒ裁判所ノ判決ニハ法律関係ヲ其同一ヲ認識スヘキ程度ニ於テ記載スルコトヲ要スルハ勿論ナルモ法律関係ヨリ生スル請求権ノ範囲ヲ示スヘキ数額ヲモ記載スルコトヲ要スルモノニアラス」（東京控判明四五・三・一二新聞七八七・二〇）。

例えば、右判決では、給付の訴と確認の訴とは異なつて扱われている。ところで右判旨から、賃貸借関係の確認請求の場合にも、これから生ずる賃料請求権の金額を記載する必要はない、ということになるのであろうか。また、右の場合に、目的物、例えば、土地の坪数は、どうか。

【27】　土地所有権確認の訴において「控訴人は地番、地目及び畝歩を明らかにしないで、土地所有権を主張することは許されない旨主張するが、本件土地は原審及び当審での検証の結果により、前示のとおり具体的に明らかにされているのである。そして、公簿面上の地番、地目、畝歩のごときは土地の属性に過ぎないのであるから、かかる事実関係を明らかにしなくても、土地そのものの範囲が具体的に明らかにされている限り、その所有権を主張する妨げとならない」（仙台高判昭三二・一・二二民集一〇・一・七）。

（二）　請求の目的物の量的範囲の増減は請求の単一性にどんな影響を与えるか。

(1)　増加の場合　　請求の拡張とよばれる場合である。請求の拡張は、控訴審においても許される（最判昭三二・一二・一三民集一一・一三・二一四三）。請求の拡張は請求の変更か。否定する判例（〔28〕の判例のほか宮城控判裁判年月日不明、新聞五五二・一五、横浜区判明四一（ハ）七八五、裁判年月日不明、新聞六五七・一四）と肯定する判例（東京高判昭三〇・五・三〇民集八・五・三四〇）とがある。

【28】　YのAに対する千六百円の手形債務の一部をXが立替弁済し、その内千円の弁済をXがYに求めた訴において、立替金額千二十二円六銭の主張を、千七十円七銭の主張に変更することは、「単ニ立替弁済金額及其ノ経路ニ付釈明シ以テ事実関係ヲ補充明確ナラシメタルニ過キス其ノ間……訴ノ拡張若ハ請求原因ノ変更アリタルモノニ非」ず（大判昭一一・二・二五新聞三九五九・一二）。

【29】　補償審査会の決定した補償金額に関し、それは一九一二円一銭であるとの主張を、二九二一円四二銭に変更しても、「原告主張ノ前記家屋二棟ノ移転ニ因ル損害ニ付補償審査会ノ為シタル補償金決定ノ不相当ナルコトヲ主張スル点ニ於テハ前後全ク同一ニシテ渝ルトコロナキヲ以テ」単に事実上の申述の訂正で、

訴の変更ではない（東京地判昭二・一・一〇評論一六民訴四六〇）。

ところで、例えば、

【30】「同一原因に基く損害賠償請求の一部について甲訴を提起し、残部について乙訴を提起し、乙訴の控訴審において請求を拡張したが、拡張部分は既に係属中の甲訴の請求全額に該当していたという場合には、右拡張部分は二重起訴となり却下さるべきである」（東京高判二九・七・五下級民集五・昭七・一〇四一）（三ケ月・前掲一九七をみよ）。

そうすると、右拡張により、請求の変更はもたらされないが、請求の分量的一部については、その却下がありうるから、その限りで、請求の金額は、分割してこれを考えることを許すものであるということになる。つまり、請求の単一性が失われるとは考えたくないが、しかし、増加分の量については、独自の処理がなされうるという意味で、別の扱いを可能とする方途を与えなければならない、とでもいうのであろうか。

(2)　減少の場合　これは請求の減縮とよばれる。

（イ）　請求の減縮については、古くは、一つの訴に併合したところの数個の請求のうちの一個又は数個の請求を減縮する場合も考えられており、この場合は、はじめは、訴の一部取下でないと考えられていたが（玄米の給付請求にその履行不能の場合の塡補賠償請求を併合し、後者を減縮した場合につき、大判明三七・三・三一民録一〇・三七八）、後に、それは訴の申立の減縮であり、すなわち訴の取下にあたるとされた（大判大一〇・二・二二民録二七・三八一）。

例えば、A手形金一五万円及びB手形金一五万円を手形保証したYに対し手形金三〇万円を訴求していたXが控訴審でA手形金一五万円だけに減縮した場合には、右請求の減縮は、訴の一部取下と認めるべきである（最判昭三〇・七・五民集九・九・一〇一二）（三ケ月・民訴雑誌5九八をみよ）。

給付の目的物が別異であると把握されうる場合には、目的物の別異性は請求を別異ならしめる。このことについては異議はない。給付の目的物が可分であり、その分割された部分が互に他と識別される要素を包含していて、従つてそれぞれ別異であると把握されうる場合も同様であろう。

【31】　ある年度の分の引渡請求を棄却する判決が確定した場合も同様で、他の年度分の引渡「請求ノ当否ニ付キテハ其確定力ノ効果ヲ及ホスヘキモノニ非ス」（大判明三七・二・六民録一〇・一二三）。

【32】　「上告人ノ弁論ノ全趣旨ニ依レハ……上告人ハ曩キニ被上告人ニ対スル報酬米請求事件ニ於テ被上告人トノ委任契約ニ依リ同人ノ為メニ実施ノ調査水路ノ測量ヲ為シタル報酬トシテ大正四年度乃至大正六年度ニ於テ玄米一石三斗五升六合七勺ノ支払ヲ受クヘキ確定判決ヲ受ケタルモ尚ホ大正七年度同八年度ノ玄米合計五斗七升五合ノ支払ヲ受クヘキ権利ヲ有スルヲ以テ本訴ニ於テ其支払ノ請求ヲ為スト云フニ在リテ即チ本訴ハ上告人ノ主張ノ確定判決ニ判示シタル所ト請求ノ原因ヲ同フスルモ訴訟ノ目的物ヲ異ニシ従テ其請求ヲ異ニスルヲ以テ本訴請求ヲ確定判決ニ基ク請求ナリト云フヲ得ス」（大判大一〇・一一・五民録二七・一九〇三）。

（ロ）　さて、一個の請求の、目的物の、数量的範囲の減縮の場合はどうか。

【33】　金額請求において、一一七〇円の請求を控訴審で一〇六二円七〇銭に減縮した場合は、「減縮セラレタル部分ノ請求ニ付テハ訴ノ初ヨリ繋属ナカリシモノト看做サレ従テ此ノ部分ニ対スル第一審判決ノ部分ハ自ラ其ノ効力ヲ失フモノ」である（大判昭一四・一二・二民集一八・一四〇七）。

減縮の部分については、それでは、訴の取下があつたのであろうか。

【34】　「当院口頭弁論ニ於テ被上告人Hハ金二百円同Y及Uハ各百円ニ付夫々利益金ノ分配ヲ受ケタルコトヲ認メテ各其ノ部分ノ請求ヲ減縮シタルモノニシテ凡ソ請求ノ減縮ハ其ノ性質訴ノ一部ノ取下ニ外ナラサ

ルカ故ニ其ノ部分ニ付テハ初メヨリ繋属ナカリシモノトナ」るのである（大判昭一五・九・一七評論三〇民訴一三一）。

しかし、請求の一部放棄とはいえないか。

【35】「原告が訴を提起した請求の一部につき控訴審において請求の減縮をしたときは、それが訴の一部取下であるにしても或はまた請求の一部抛棄であるにしてもいずれの場合であつても、その部分については初より係属しなかつたものと看做されるのである……」（最判昭二四・一一・八民集三・一一・四九五）（三ケ月・前掲一九七をみよ）。

一部取下か一部抛棄かのいずれかであるという趣旨なのか、一部取下の場合もあり、一部抛棄の場合もある、という趣旨なのか。その場合、その一部と他の部分とは、訴訟物として異別なのか、そうではないのか。

【36】Y_1Y_2連帯して一三万円支払え、という請求を、Y_1は一三万円、Y_2は六万五千円支払え、という請求に変えた場合は、Y_2に対しては「右は単に請求の趣旨を減縮したものであり、即ち上告人Y_2に対しては訴の一部の取下に過ぎないのであり、所論の如く民訴二三二条第二項に所謂請求の変更に該らない」（最判昭二七・一二・二五民集六・一二・一二五五）（三ケ月・同前）。

訴の一部取下で請求の変更に該らない、ということになつた。さて、取下げられた部分は取下前の部分に包含されるから請求の単一性は失われないというのであろうか。金額の量は訴訟物の要素ではないからその増減は訴訟物の単一性とかかわりはないというのであろうか。それならば、はじめから、一定量の金銭の一部を請求している場合には、訴訟物は当該一部についての請求なのか、それとも一定量全部についての請求なのか。

【37】前訴の目的が、失権株式競売不足金三千五百円の債権中金千円であり、その「請求ヲ棄却スル判決確

定シタルトキハ該債権ノ内金千円ノ部分ノ存在セサルコトカ確定セラルルニ止マリ爾余ノ部分ハ該判決ノ既判力ノ効力ヲ受クルモノニ非ス」（大判昭一八・五・三法学一二・九九九）。

三千五百円の請求が訴訟物で既判力は千円についてのみ生ずるというのか、千円の請求が訴訟物であるというのか。

【38】　損害賠償請求権の一部についての訴について、「ひとしく一部の請求というも、当初からその一部が特定している場合と、たとい分量的には一個の債権の一部というように定額をもつて表示されていたとしてもどの一部であるか毫も特定されていない場合と区別して考うべきである。……後の場合は一個の債権のどの一部であるかわからないのである。……このような場合はかたちは一部の金額を請求する訴訟のようであるが、その実一個の債権全部を訴訟物とするものであつて、訴訟係属の効果も判決の既判力もその債権全部について生ずるのである。」（そうしないと、例えば、一部弁済の抗弁が採用されえない）（東京高判昭三一・二・二八民集九・三・一三〇）（これは、最判昭三四・二・二〇により破棄された）。

【39】　「本件においては、仮差押の被保全権利と本案訴訟の訴訟物たる権利とは、その範囲の点を除いて、全く同一である。弁論の全趣旨によれば、両者は、同一の山林地域における多数立木の盗伐による損害の賠償請求権であつて、ただ、その損害の評価額が前者では六五万円、後者では四五万円とされているに過ぎない……。後者が前者の一部請求とされているわけでもなく、また、仮に一部請求であるとしても、それがどの一部なるかの特定をなすこともできないわけである。このような場合における本案訴訟の訴訟物たる損害賠償請求権は、たとい分量的に可分な給付を目的とするものであつても、常に不可分的に全部として訴訟の目的となり、訴訟係属の効果も既判力も、その権利全部について生ずるものと解すべきであつて、右の額の限度に限られるものというべきではない」（前橋地判昭三三・五・一七下級民集九・五・八四〇）。

どの一部かが特定しえない場合（この場合、特定の意味が問題である）には、主張された額を全部としてとり扱うというわけであるが、その根拠はなにか（なお、損害（賠償請求権）の単一性は損害額にかかわりなく認識しうると考えているらしい点は注目に値する）。

【40】 損害賠償請求の訴について、「ところで、一個の債権の数量的な一部についてのみ判決を求める旨を明示して訴が提起された場合、原告が裁判所に対し主文において判断すべきことを求めているのは債権の一部の存否であつて全部の存否でないことが明らかであるから、訴訟物となるのは右債権の一部であつて全部ではない」（最判昭三四・二・二〇民集一三・二・二〇九、時効中断に関し、少数意見あり）。

（ハ） 金額請求について、裁判所が主張された分量を超えて請求を認容することは許されないが（民訴一八六）、主張された分量以下において請求を認容することは許されている。有体物請求についても同様であろうか。

【41】 家屋の全部明渡請求訴訟について、「訴を提起する原告としては、請求の全部が認容されないで、その一部が認容される場合には、認容される部分について一部勝訴の判決を求める意思があるのが通常である。それ故、原告の請求が可分である場合に、裁判所がその一部は理由があり他の一部は理由がないと認めたときは、その理由ある部分につき請求を認容し、その理由なき部分につき請求を棄却するのである。ただ、原告がその理由ある部分のみならば請求認容の判決を求めないことが明らかな場合は請求全部を棄却する外ないのである。」これは一八六条違反ではない（最判昭二四・八・二民集三・九・二九一）（同旨、最判昭三〇・五・二四民集九・六・七四四）。

（ニ） なお次の判例がある。

【42】 「死体引渡ヲ求ムル旨申立テ其後之ヲ改メ同人ノ遺骨ノ引渡ヲ求ムト申立テタルコトハ……遺骨モ亦死体ノ一部ニシテ両者カ別異ノモノニアラサルコトヲ俟タサルトコロナルヲ以テ右ハ単ニ訴ノ申立ノ減

縮ヲ為シタルモノト認ムヘク之ヲ以テ訴ノ変更ナリトスルヲ得ス」（宇都宮地判大一〇・四・二三評論一〇民一三三三）。

〔註〕　請求の拡張減縮が、請求の変更になるかどうか、という問題と、請求の拡張減縮を許す条件を請求の変更を許す条件と同じくするかどうかという問題と、請求の拡張減縮の方式として請求の変更の方式と同一方式を必要とするかという問題と、請求の減縮に、どんな効果を与えるか（訴取下と同一の効果か請求放棄の効果か）という問題とは、それぞれ区別して考えられるべきであろう。これらの問題と、請求の分量的一部についての認容や棄却の問題とは、これまた、次元の異る問題である。

（三）　請求の目的物の質の程度の変更は請求の変更となるか。

【43】「本訴ハ被上告人カ上告人ニ賃貸シタル宅地ノ賃料米ノ請求ニシテ被上告人ハ之ヲ三等玄米ナリト主張シタルニ原審ハ証拠ニ依リテ四等玄米ヲ納付スヘキ約定ナリト認定シ其ノ給付ヲ命シタルニ外ナラス故ニ……原判決ハ民事訴訟法第一八六条ノ規定ニ違反スルコトナ」し（大判昭一三・四・一九法学七・一六七一）。

（四）　単一不法行為に因る損害の質と態様

(1)　物質的損害と精神的損害

【44】「請求権ノ個別性ノ標準ハ之ヲ主体内容及ヒ原因ノ三者ニ覓ムヘキモノニシテ其三者皆同一ナレハ同一ノ請求権ナリト為スヘク三者ノ何レカニ於テ異ナルトキハ之ヲ別箇ノ請求権ナリト為ササルヘカラス而シテ生命ヲ害セラレタル者ノ父カ加害者ニ対シ財産上及ヒ精神上ノ損害ニ付キ有スル賠償請求権ノ原因タル法律要件如何ヲ観ルニ其財産上ノ損害賠償請求権ハ財産権ヲ害セラレタル事実ヲ要件ノ一ト為スモ精神ニ苦痛ヲ感シタル事実ヲ要件ノ一ト為スコトナキニ反シ其精神上ノ損害賠償請求権ハ精神上ノ苦痛ヲ要件ノ一ト為スモ財産上ノ損害ヲ要件ノ一ト為スコトナキヲ以テ其他ノ要件ハ総テ同一ナリトスルモ二者ノ法律要件同一ニアラス原因異ルヲ以テ其財産上ノ損害賠償請求権ト精神上ノ損害賠償請求権トハ二箇ノ別異ノ請求権ナリ

ト謂ハサルヲ得ス」（大判大三・九・二三民録二〇・六七二）（だから訴訟物も異なるといぅのであろぅ―筆者）。

【45】 Yに情交をいどまれたXが、これを拒絶し暴行傷害を受けたので、稼働より得べかりし収入を失い精神上の苦痛を受けた。XはYに対し損害賠償請求の訴を起し、稼働より得べかりし収入の喪失を主張したが請求棄却の判決が確定した。そこでXはYに対し精神上の苦痛を慰藉する金銭請求の訴を起した。

「本訴は前記のとおり慰藉料の請求であるのに対し、前訴は傷害による収入喪失の損害賠償の請求であって、この無形と有形の損害は、その基本の不法行為こそ事実関係として、同一であるが、その請求原因及び趣旨においては全く別異の請求であり従って単に有形的損害賠償請求権を否定した前訴の判決の既判力は、前訴においては、その請求原因にもまた趣旨にも存しなかった本訴の慰藉料の請求にまで及ぶものではない。」（福岡高判昭三二・四・九下級民集八・四・七三四、訴不適法却下の原判決取消差戻、三ケ月・前掲三二八）（不法行為が請求原因ではないかのような口吻に注意せよ）。

物質的損害と精神的損害が区別されている。これは、請求権の目的物たる損害の賠償における、賠償さるべき損害（対象物）の差に原因するというべきであろう。

(2) 直接損害と得べかりし利益の喪失

【46】 不法行為に因る損害賠償請求の訴において、被害船舶の船体及び発動機その他附属物の価額二千円のうち六〇〇円を請求したのに対し、右船舶の利用によって得べかりし賃料二百六十円を認容することは、一八六条違反である（大判昭一二・一・二九判決全集四・三・三四）。

(3) 通常の損害と特別事情による損害

【47】 不法占拠によって通常生ずる損害の賠償を求める訴で勝訴の確定判決を得た原告が、別に、特別事情による損害の賠償を求める訴を起しても、「右訴訟と本件訴とは訴訟の目的物を異にするから」、一事不再理の抗弁は採用することができない（徳島地判昭二七・一二・一八要旨集民訴3八八六）。

(4) その他

【48】 不法行為による子の死亡を原因として親が慰藉料を請求した訴訟において、民法七一一条の慰藉料請求権と子の慰藉料請求権とを併せて主張した場合、慰藉料請求権の当然相続性を認めるとしても、右両権利を併せ行使することは許されない（右両者は被害法益を異にしているが、同一事実に基くものであり、その本質において同一であるから）（東京高判昭三一・一〇・二六民集一〇・一二・六七一）。

四 引換または条件附請求

（一） 引換給付

(1) 相手方から同時履行の抗弁が提出された場合に、自己の債務の履行と引換に相手方にその債務を履行させることは、その請求中に含まれる（大判明四四・一二・一一民録一七・七七二）（大判大五・一二・九民録二二・二二二一）（大判大七・四・一五民録二四・六八七）（大判昭四・七・六新聞三〇八〇・一〇）。それゆえ、引換給付の判決をしても、原告の申立てない事項について裁判をしたことにならない。

そうすると、当初から引換給付が申立てられていて、相手方が同時履行の抗弁を提出しない場合には、当然に引換要求の部分は請求中に含まれるであろう。

(2) そこで、例えば、売買代金と引換に所有権移転登記手続の履行を求める訴で、被告が右代金について同時履行の抗弁を提出しない場合には、原告の主張する額に従って引換給付を命ずべきであり（朝鮮高判昭一二・二・一六評論二七民訴二二四）、被告が右の抗弁を提出し、しかも被告主張の代金が原告主張のそれより多額であるときは、その多額の代金の引換給付を命じても、申立を超えて裁判したとはいえない（大判大一〇・一二・三民録二七・二〇九三）。

(3) そうすると、引換給付請求を、無条件給付請求に変更した場合、または、その逆の場合は、請求の変更とはならない、ということになろうか。

【49】 所有権移転登記手続請求事件において、代金の支払と引換に売買による所有権移転登記をなすべきことを主張して第一審で勝訴したXが、被告Yの控訴による第二審で、単に売買による所有権移転登記をなすべきことの主張に変更したことは、許される「訴ノ申立ノ拡張」である（大判大一〇・三・一一民録二七・五一四）。

(4) また、引換給付を命じた部分については、既判力があるのであろうか。

【50】 「所謂引換給付ノ請求ニ於ケル反対給付ハ当該訴訟ノ目的物ニアラス其ノ存否及範囲ハ当該判決ノ確定力ノ及フトコロニアラ」ず（前掲、朝鮮高判昭一二・二・一六）。

(二) 条件附給付

(1) 家屋賃貸人Xは賃借人Yに対し、家屋の一部明渡を訴求し、無条件明渡の主張と、離屋の賃貸と引渡及び便所の使用許可を条件とする明渡を主張した事件において、第一審、第二審、上告審ともに、これを二個の請求として扱い、条件附判決を適法としている（最判昭三三・三・二八民集一二・三・五五一）（三ケ月・前掲一九一）。

右の事件においては、無条件の明渡は正当でない、とされた場合であった。ところが、家屋の無条件明渡が正当であると判断された場合で、しかも、原告が申出た移転料の支払と明渡時期の猶予とを条件として、明渡判決をした例がある（東京高判昭二六・一〇・九下級民集二・一〇・一一七九）。

それだけではない。原告が無条件の家屋明渡のみを請求している場合で、裁判所が、無条件の明渡は認めがたいと考える場合に、「請求を棄却することも妥当でなく、さりとて全面的に請求を認容するは被告に過酷である場合被告に有利なる条件を附して請求を認容するも亦止むを得ない」し、かかる判決を言渡すことは当事者に申立てない事物を畈せしむることにならない、とする判例がある（東京簡判昭三三・五・二八下級民集九・五・九〇九）。

こうなってくると、無条件明渡請求と条件附明渡請求とは別異の請求であるかが疑わしくなってくる。また、条件の部分については、既判力はあるのであろうか。それとも、形成力があるのであろうか。また、これらの問題は家屋明渡事件に固有の問題なのであろうか。

(2)　XY間の四千円を限度とする肥料代金貸越契約につきX所有不動産に根抵当権が設定され登記を経たが、Xの債務は五〇円を余すだけとなり取引もしないことになったので、XがYに対し、五〇円の支払を条件として抵当権の登記の抹消を求めた訴において、右金額が五〇円を超える場合でも、「裁判所ハ其ノ真ニXノ債務ト認ムヘキ数額ヲ認メXノ請求ノ一部ヲ排斥シ右金額ヲ支払フトキハYニ於テ登記手続ヲ為スヘキコトヲ命ズルヲ妨ケサル………（大正十年十二月三日言渡当院判決参照）」ものである（大判昭七・一二・二八民集一一・二三〇四）。

五　附　言

以上の叙述においては、請求の因って生ずる原因（広義）は除かれていた。第二章以下の叙述においては、これをむしろ中心とする。法規上の言葉としては、「訴ノ原因」（旧民訴一九五・一九六）、「請求ノ原因」（旧民訴一九〇、民訴二二四）がある。これらの変更が、「訴ノ変更」（旧民訴四一三）または「請求ノ変更」（民訴二三二）をもたらすかが問題となる。また、「訴ノ変更」と「請求ノ変更」が同義であるか、これらは、訴訟上の請求の変更なのか、すなわち、訴訟上の請求の単一性を損うものかが問題となる。これらの問題についての判例の態度を調べるにあたつては、旧民訴については、次の点が注意されなければならないであろう。そのことを叙述するまえに、旧民訴の関係規定を抜き書きしておこう。

第一九〇条　訴ノ提起ハ訴状ヲ裁判所ニ差出シテ之ヲ為ス此訴状ニハ左ノ諸件ヲ具備スルコトヲ要ス
第二　起シタル請求ノ一定ノ目的物及ヒ其請求ノ一定ノ原因

第一九五条　訴訟物ノ権利拘束ハ訴状ノ送達ニ因リテ生ス
権利拘束ハ左ノ効力ヲ有ス
第三　原告ハ訴ノ原因ヲ変更スル権利ナシ但変更シタル訴ニ対シ本案ノ口頭弁論前被告カ異議ヲ述ヘサルトキハ此限ニ在ラス

第一九六条　原告カ訴ノ原因ヲ変更セスシテ左ノ諸件ヲ為ストキハ被告ハ異議ヲ述フルコトヲ得ス
第一　事実上又ハ法律上ノ申述ヲ補充シ又ハ更正スルコト
第二　本案又ハ附帯請求ニ付キ訴ノ申立ヲ拡張シ又ハ減縮スルコト
第三　最初求メタル物ノ滅尽又ハ変更ニ因リ賠償ヲ求ムルコト

第四一三条　訴ノ変更ハ相手方ノ承諾アルトキト雖モ之ヲ許サス

第四一六条　新ナル請求ハ第百九十六条第二号及ヒ第三号ノ場合又ハ相殺スルコトヲ得ヘキモノニシテ且原告若クハ被告カ其過失ニ非スシテ第一審ニ於テ提出シ能ハサリシコトヲ疏明スルトキニ限リ之ヲ起スコトヲ得

「請求ノ原因トハ法律関係成立ノ基本タル事実ヲ指ス」（大判明四二・二・九民録一五・七三）、換言すれば「実体法ニ従ヒ請求ヲ生セシムルニ適スル具体的事実ヲ謂フモノ」（大判大四・五・二八民録二一・八二四）である。しかし、「請求ノ原因カ（第一）法律関係並ニ請求ノ生スル事実ナリヤ（第二）請求ノ因テ生スル法律関係ナリヤニツキテハ学説ノ岐ルルトコロ」（東京地判大四・一・二九新聞一〇六八・二八）であつた。

さて、「訴ノ原因」とは、「請求ノ基本タル事実関係ヲ謂フモノ」（札幌地小樽支判明四二（ワ）七、裁判年月日不明、新聞五九〇・一三）であり、「訴ヲ以テ請求スヘキ権利ノ因テ生スル特定ノ事実関係ヲ謂フモノ」（大阪地判事件番号裁判年月日不明、新聞五五二・一四、同旨、上諏訪区判昭三・五・八評論一七民訴三七）でもあり、「請求権発生ノ基本タル法律要件ヲ構成スル事実関係」（東京地判大七・一・二一新聞一三九三・三〇）でもあつた。

では、「請求ノ原因」（旧民訴一九〇）と「訴ノ原因」（旧民訴一九五・一九六）とは、異別のものとして把握されていたか。旧一九六条の問題について、「請求ノ原因」という語を用いている判例がある（大判明三八・一一・二五民録一一・四一一）。

次に、「訴ノ原因」の変更と「訴ノ変更」との関係はどうか。

「民事訴訟法第百九十五条第三号ニハ………ト規定セリ該条本文ノミニ依ルトキハ訴ノ原因ヲ変更スルコトヲ許ササル迄ニシテ訴ノ目的ノ変更ハ権利拘束ニ関係ナキモノノ如クナルモ同第四百十三条ニハ………トアリテ訴ノ原因ノ変更ト云ハスシテ訴ノ変更ト云ヘリ是ニ依テ之ヲ観レハ訴ハ原因ト目的ト相俟ツテ成立スルモノナルカ故ニ第百九十五条第三号ノ規定中ニハ訴ノ変更ハ自ラ包含シ第四百十三条ノ規定中ニハ訴ノ原因ハ自ラ包含シアルモノト解釈スルヲ相当トス故ニ原判決カ訴ノ変更ト云ハスシテ訴ノ原因ノ変更ト説明シタレハトテ本案ニ影響アルコトナシ」（大判明三五・一〇・八民録八・九・三二）。

つまり、「訴ノ原因」の変更は「訴ノ変更」となり、「訴ノ原因」の不変更は訴の不変更である。だから、「所謂訴ノ原因ニ変更ナシトスル裁判中ニハ訴ノ変更ナシトノ裁判ヲ包含スルモノト解スヘキ」である（大判大一〇・一一・二六民録二七・二〇三〇）。　そして、訴の目的の変更の場合も同様であるようにみえる。

ところが、

「本件第二審ニ於ケル法律上利息ノ請求ハ主タル約束手形金請求ニ附帯シタルモノニシテ民事訴訟法第百九十

六条第二号ニ所謂附帯請求ニ付キ訴ノ申立ヲ拡張シタル場合ニ該当スル………」（大判明三四・四・二〇民録七・四六六）。

これと同類の判例は多い。

また、

「第一審ニ於テハ債権差押及転付命令ノ取消ヲ請求シ第二審ニ於テハ該命令ノ無効確認ト上告人カ右命令ニ因テ収受セシ金銭ノ返還ト保証金領収ノ承認トヲ請求シタ………ト雖其原因ニ至リテハ少シモ変更スル所ナク………民事訴訟法第百九十六条第二号ニ所謂申立ノ拡張ニ該当スルモノニシテ訴ノ変更トナラス」（大判明三五・一一・七新聞一一六・二五）。

また、

「……本訴地所賃貸借ノ無効ヲ原因ト為シ該賃貸借登記ノ抹消及ヒ収益賠償ヲ請求シタルモ………第二審ニ至リ………更ニ其無効確認ヲ請求シタルコト………明確タリ然ラハ則チ本訴請求ハ最初ヨリ右賃貸借ノ無効ヲ原因ト為スモノニシテ第二審ニ至リ請求ノ原因ヲ変更セス単ニ本案請求ニ付キ訴ノ申立ヲ拡張シタルモノニ過キス」（大判明三八・一一・二五民録一一・四一一）。

また、

「………前ニ給付ノ判決ヲ求メナカラ後履行ノ命令ヲ除外シタル確認ノ判決ヲ求ムルハ申立ノ減縮ニシテ請求原因ニハ変更ヲ生セス仍テ異議ハ理由ナシ」（東京地判大元・九・二五新聞八二一・二三）

また、

「原告カ所有権ノ確認ヲ求メタル後更ニ之カ所有権登記手続ノ請求ヲ為スカ如キハ民事訴訟法第百九十六条第二号ニ所謂申立ノ拡張ニ該当スルモノト謂ハサル可ラス何トナレハ該登記ノ請求ハ最初ヨリ請求セル所有権ノ確認ト其請求原因ヲ同フシ且ツ確認ヲ求ムル権利ノ履行ヲ求ムルニ外ナラサレハナリ然レハ被告訴訟代理

人ノ本件訴ニ原因ノ変更アリトノ抗弁ハ採用シ難シ」（東京地判大二・九・一九評論二民訴二七一）。

しかし、元本請求訴訟と利息請求訴訟とが別々である場合には、

「基本債権ニ関スル訴訟ト其利息ニ関スル訴訟ハ仮令其間ニ牽連アリトスルモ之レヲ以テ同一ノ目的ヲ有スル同一ノ訴訟ナリト謂フコトヲ得ス却テ別個ノ目的ヲ有スル別異ノ訴訟ニシテ……」（大判大元・一〇・二一民録一八・八三二）。

そうだとすると、次の問題が生ずる。手形金請求と利息請求とは、今日では、別個の請求と考えられている。転付命令の取消請求と転付命令により収受した金銭の返還請求とは、今日では、別個の請求と考えられている。そして、従来の請求に更に新な請求を併合して一の訴とするものは民訴二三二条に所謂請求の変更による訴の変更だといわれている（大判昭一五・二・七新聞四五二四・一三）。そうすると、旧法時代の訴の不変更のなかに、現行法の立場では請求の変更になるものが含まれることになる。はたしてそうなのかがひとつの問題であるが、いずれにせよ、旧法時の判例を調べる場合には、右の点が注意されなければならない。

二　給付訴訟の訴訟物

本章においては、給付請求の請求の原因が分析される。請求原因は事実であり、それは、法的行為（契約、不法行為、非債弁済など）やそうでない事実（死亡、時の経過など）であり、また、それらの複合である。なお、共通の問題については、給付訴訟以外の訴訟でも、必要に応じ、本章で、参照する。

一　総説

（一）日時及び方式

(1) 契約締結の日時及び方式に関する主張が異るときは、請求も亦異ると考えられているか。

【51】「本訴ハ訴外Aノ元金二千円ノ債務ニ対スル控訴人ノ保証契約ノ履行ヲ求ムルニアルコト終始一貫シテ変更スル所ナク契約成立ノ日時若クハ契約締結ノ方法ノ変更ノ如キハ訴ノ原因ニ変更ヲ来スカ如キ重要ナル更正ニアラスシテ民事訴訟法第百九十六条第一号ニ所謂事実上ノ申述ノ更正ニ過キ」ない（東京控判大三・一一・一九新聞九九二・二）（同類、東京控判大三・六・二五新聞九五九・二五）

【附】所有権確認訴訟においては、「所有権取得ノ原因モ亦請求原因ヲ為スモノ」（宇都宮地判大一一・二・一五評論一一民訴七〇）であるが、「所有権取得ノ原因タル事実ヲ其ノ同一性ヲ認識シ得ヘキ程度ニ於テ主張スレハ足リ敢テ之ヲ取得ノ相手方又ハ日時ヲ確定シテ詳述セサルモ」可である（東京地判大五・五・一新聞一一四〇・二〇）、とする判例がある。

要するに、日時の要素を阻却しても契約の単一性が認められる場合においては、日時の変更は請求を変更させるものではないというのであろう。そうすると、日時の相異が契約の相異を表現する事情にあるときは、日時の変更は、契約の変更を意味し、ひいては、請求の変更を結果するであろう。

【52】保証債務金請求の訴において、昭和二年一二月二六日の保証契約の主張を、大正一五年六月二日の保証契約の主張（この契約の期間満了により、前者の契約がなされた）に変更することは、請求の基礎に変更のない請求の原因の変更である（大判昭八・一一・一八新聞三六九八・一三）。

だが、右の二主張が予備的に併合された場合はどうか。保証される債務が単一であるのに、請求の併合ととらえるのであろうか。

(2) 再売買の予約に基く売買完結の意思表示の日時

【53】 異つた日時を主張した場合、「再売買予約ニ基ク売買完結ヲ請求原因トスルコトハ終始同一ナルモ単ニ売買完結ノ方法時期ニ付新ナル事実ヲ提出スルニ止マルモノト謂フヘク之ヲ以テ訴ノ原因ヲ変更シタルモノト為スヲ得ス」（東京控判大一一・一一・四新聞二〇九四・一七）。

請求の変更にもならないというのであろうか。

【54】 「前訴ト本訴トハ均シク大正二年四月十九日ニ締結セラレタル売買ノ予約ニ基クモノナルモ前訴ハ大正三年十一月二十四日売買完結ノ意思表示ヲ為シタルコトヲ原因トスルニ反シ本訴ハ大正六年十二月二十七日売買完結ノ意思表示ヲ為シタルコトヲ原因トスルモノナレハ彼此請求ノ原因ヲ異ニスルモノト謂ハサルヲ得ス然レハ原裁判所カ前訴ト本訴トハ……全然同一訴訟ナリト為シ……タルハ……不法……」（大判大八・六・一〇民録二五・一〇〇七）

【55】 再売買の完結を理由とする土地所有権移転登記請求において、「原審カ前訴ハ大正六年四月十日ニ於テ売買完結ノ意思表示ヲ為シタルモ本訴ハ大正五年七月中売買完結ノ意思表示ヲ為シタルコトヲ主張スルモノト為シナカラ前訴本訴共ニ等シク売買予約ナル法律関係ヲ原因トスルモノト認メ全然同一ノ訴訟ノ如ク判定シタルハ失当ナリ」（大判大一二・四・九民集二・二二二）（前訴については、請求棄却の判決が確定していた）。

いずれの場合も、売買完結を理由とする所有権移転登記請求である。かかる請求を特定するものは所有権取得原因であると考えられている。それは、右事件においては、売買である。この売買が特定されればよいわけである。ところが右事件では、売買の成立が、予約と完結の二段階に分けられた場合である。予約は単一である。予約に重点を置いて請求原因の単一性を承認したらしいのが【53】である。完結に重点を置いて請求原因の単一性を否認したのが【54】【55】である。完結の意思表示は、なるほど、他の同種のものと区別するには、日時をもつて区別するよりほかになさそうにみえる。従つて、日時が異れば意思表示も異る別個のものと考えざるをえない。しかし、他方において、有効な完結の意思表示は、単一の予約に対しては、単一でしかありえない。予約の単一性によつて成立した売買の単一性が保持されうるなら、成立した売買の日時(完結の日時)の変更は、【51】の判例がいうように、請求原因の変更ではないことになりはしないか。では、なぜ、【54】の判例があるのか。同一の訴でいくつかの日時を仮定的に追加主張する場合にはこれをもつて請求の変更とするほどのものではないが、別訴での他の日時の主張を既判力によつて遮断するほどのものでもないという考え方なのであろうか。

(3)　請求権の発生の直接原因をなす国の行為の日時

【56】　転付金請求の訴において、転付命令の発せられた日及びその送達の日に関する主張の変更は、事実上の申述の更正にすぎない(大判昭三・三・三一裁判例(二)民一二五)。

【57】　訴外AがYに対し有する七一万円余の金銭債権を国が国税滞納処分として差押え、かつ、国がYに対し、右金円の支払を求めた訴訟において、右七一万円余は昭和二五年一二月一二日に差押えたAのYに対する貸金債権であるとの主張を、昭和二八年一〇月二九日に差押えたAのYに対する求償債権であるとの主張に変更した場合、それは請求の基礎に変更を及ぼさない訴の変更であり(最判昭三二・二・二八民集一一・二・三七四)、右差押の日時の主張の変更は、訴の変更ではない(広島高判昭二九・三・三〇民集七・三・二九四)(この広島高等の判決は右最高裁の判決の下級審としての判決であるが、最高裁民集に掲載されたものと、高裁民集に掲載されたものとでは著しく内容が異つている)(三ケ月・前掲一六二―一八一)。

(4)　解除に基く請求における解除の日時等

【58】　解除を原因として手附金の返還を求める訴において、解除の日附に関する主張の変更は、請求原因の変更とならない(大阪区判大一〇・一二・一二新聞一九四八・二〇)(同旨、大阪地判大六・一一・三〇新聞一三六六・二六、大阪地判大七・二・一三新聞一四〇三・二四、東京地判大九・五・三一評論九民法六二四)。

【59】「………訴訟ニ於テ特定ノ契約ノ解除ヨリ生シタル原状回復請求権ヲ主張スル場合ニ於ケル請求ノ原因トハ其特定ノ契約カ存在シタル事実ト解除ナル方法ニヨリテ其存在シタリシ契約カ始ヨリ契約ナカリシ状態ニ帰シタル事実トノ二ツニ帰着スト言フヘキナリ其契約ノ消滅ヲ惹起スルニ至リシハ原告ノ解除ノ意思表示ニヨルト被告ノ解除ノ意思表示ニヨルト将タ又其解除ノ意思表示カ訴提起前ニナサレタルト第一審若クハ第二審ニ於テ為サレタルトハ毫モ請求原因ニ関スル処ナシ………本件ニ於テハ控訴人ノ請求ハ大正八年九月十五日控訴人両名及ヒKト被控訴人両人トノ間ニ成立シタル土地売買契約カ解除ニ帰シタル事実ヲ請求ノ原因ト為スモノナルカ故ニ先ツ控訴人ノ意思表示ニヨリ解除シタリト主張シ次ニ其解除不当ナリトスルモ被控訴人ノ意思表示ニヨリ解除ニ帰シタリト主張シタリトモ請求ノ原因ニ関スル処ナキモノ………」(旭川地判大一一・一二・一四新聞二一一八・四)。

(5)　手形振出の方式

【60】為替手形金請求の訴において「訴状ニ無記名式ニテ振出サレタル旨ノ記載アルハ本件手形ニハ受取人ノ記載ナク単ニ殿又ハ同人指図人ニ支払ハルヘキ旨ノ記載アリトノ趣旨ナリト解スルヲ得ヘク其後………ノ陳述ハ結局………所謂白地式ノ振出ナリト釈明シタルニ過キサルカ故ニ………請求ノ原因ヲ変更シタルモノ」ではない(東京地判大一一・三・七評論一一商一五九)。

右の場合は、異つた方式を主張したわけではなかつたのであつた。

(6)　参考として、防禦方法として主張された事実の発生日時の問題をとりあげる。それは攻撃方法(請求原因でもあるところの)として主張されることもありうるものであるからである。

【61】弁済の抗弁において、弁済の月が十二月と主張されている場合に、証拠によれば同年二月であると認定できなくはないときには、裁判所は弁済の日を同年二月頃と認定することは不法でない(大判昭一四・六・一五評論二八民訴一七一)。

【62】 建物所有権移転登記抹消請求の訴において、被告が、防禦として、贈与を主張し、贈与は昭和二七年一月頃と主張しているが、証拠によれば、それは、昭和二八年八月中であることが認められる場合、昭和二八年八月初旬頃の贈与を認定することは、「本件家屋の贈与という事実は一回だけで何回もあつたわけではないのであるから、」被告の「主張事実と裁判所の認定した事実との間にくいちがいはな」い（東京高判昭三〇・一二・二一民集八・九・六九五）。

（二） 当事者

(1) 契約の当事者が本人か代理人かは契約を別異のものとするか。

【63】 売買代金請求の訴において、被告に売渡したとの主張を、被告は「訴外Sニ本件木材買入方ニ関スル代理権ヲ授与シSハ自身ノ為メ及ヒ（被告の――筆者註）代理人トシテ本人ノ為メニ本件木材ヲ控訴人ヨリ買入レ之ニ因ル債務ヲ両人連帯シテ負担シタルモノナルコト」の主張に変更しても、「請求原因ノ一定セルコトハ毫モ疑ヲ挾ムノ余地ナキノミナラス……之ヲ以テ請求原因ニ変更アリト看做シ難」い（東京控判大七・四・二六新聞一四〇七・二七）

【64】 XのYに対する斡旋料請求の訴において、「斡旋料支払の特約が当事者本人によつてなされたか、代理人によつてなされたかは、その法律効果に変りはないのであるから、原判決がXとY代理人Mとの間に本件契約がなされた旨判示したからといつて弁論主義に反するところはなく、原判決には所論（原審は「申立ざる事項に基いて判決をした法令の違反があり理由不備の違法があると考へます」―筆者引用）のような理由不備の違法もない」（最判昭三三・七・八民集一二・一一・一七四〇）。

【65】 貸金請求の訴において、「本訴ノ原因ハ当事者間ニ金二千円ノ消費貸借成立シタリトノ事実関係ニ在リ上告人ノ代理人トシテ貸借ヲ為シタルMカ代理人タル権限ヲ有シタルヤ将タ其権限ナク上告人ノ追認ニ因リ貸借ノ効力ヲ生シタリヤハ右原因タル貸借事実ヲシテ別異ノ貸借事実タラシムルモノニアラサルヲ以テ原因ノ一定ヲ欠キ若クハ新原因ヲ附加シタルモノト為スヲ得ス」（大判大元・一〇・一〇民録一八・八四九）（同旨、大阪地判明四〇（ワ）三六九、裁判年月日不明、新聞五六七・一〇）。

つまり、契約の当事者は何者かに関する主張において、本人から代理人に変更しても、請求原因の変更とはならず、本人との契約の主張に対し代理人との契約を認定しても主張されない契約を認定したとはいえず、いわんや代理人が権限を有したとの主張を無権限だが追認を得たとの主張に変更しても、契約の単一性に影響はない。

(2)　当事者が本人か被相続人か、または、当事者が本人か前主か、は契約を別異にするであろうか。これについては後述(八四、八五頁)。

(三)　権利又は法律関係の内容

(1)　契約の条項

(イ)　約束の項目

【66】　約束手形の裏書譲渡の際に約した約定金の支払を求める訴において、「第一審ニ於テハ………其特定ノ事項トシテ被上告人カ其手形ヲ他人ニ行使シタル場合又ハ其手形裏書人ノ一人タルKヨリ手形金ノ償還ヲ受ケタル場合ニハ一定ノ金額ヲ上告人ニ支払フヘキコトヲ約定シタリト云ヒ原審ニ於テハ右特約ノ事項トシテ」右二つの場合「若クハKノ資力アルコトヲ認メタル場合ニハ一定ノ金額ヲ上告人ニ支払フヘキコトヲ約定シタリト云フ」場合には、「新事実ヲ提出シ以テ新ナル攻撃方法ト為シタルモノニ過キスシテ結局終始同一ノ契約ニ基キ本訴ノ請求ヲ為シタルモノニ外ナラサレハ之ヲ目シテ第一審ノ請求原因ニ他ノ請求原因ヲ加ヘ新ナル訴ヲ提起シタルモノト謂フヲ得ス」(大判明四三・五・二七民録一六・四三五)。

【67】　㈠物理的全損の場合、㈡船舶が救助救援の見込のない場合、㈢船舶が修繕することが不能の場合は保険金全部を請求できるという保険契約に基き、㈠乃至㈢のどれにも該当すると主張して、保険金全部の支払を訴求した場合は、「一箇ノ申立ヲ維持スル為メニ三箇ノ独立ナル攻撃方法即チ訴ノ原因ヲ主張シタルモノ

ニシテ」㈠㈡㈢の訴の原因は「互ニ相容レサルモノニ非ス」(大判明四四・一二・二六民録一七・九二〇)。

要するに、請求をなしうる場合が、単一の契約のなかで、列挙されている場合には、そのいずれかを、又は、そのいずれもを、主張することは、攻撃方法の主張である、ということになろう。従って、それらの主張の重複は、請求の単一性を損うものではない(ただし、それらの各項目のいくつかを同時に満足させる事態が生じても、給付は一回限りであると考えられる場合にかぎられるであろう)。

(ロ)　目的物たる土地等の使用目的

契約等の目的物たる土地等の使用目的に関する主張が別異であるときは、契約等自体の主張も別異になるか。

【68】　地所を貸していることに基き地料米代金と借地証書とを請求する訴において、「原告カ初メ本訴ノ地所ハ悪水抜井路敷トシテ貸与シタルモノナル旨主張シ後之ヲ変更シテ該地所ハ安威川敷地トシテ貸与シタルモノナル旨主張シタルコトハ………単ニ右使用貸借契約ノ内容ニ関スル事実ヲ補充更正シタルニ過キサルヲ以テ本訴ノ原因ハ終始同一ニシテ毫モ変更アルコトナシ」(大阪区判大五・一二・七新聞一二三三・三〇)。

【69】　起業者が起した土地収用補償金減額請求の訴において、「当初本件収用ハ電気軌道敷設ト道路拡張トノ為ニ行ハレタルカ如ク主張シタルニ拘ラス其ノ後道路拡張ニ関スル主張ヲ撤回シタレハトテ……訴ノ原因ヲ変更シタルモノト謂フヘカラス」(大判昭三・六・四民集七・四二六)。

【70】　「被上告人カ「上告人ノ新造中ニ係ル帆船第三号海幸丸ヲ竣工後三年六ケ月間被上告人ニ無償専用セシムルコトヲ内容トスル契約」ヲ主張シタルニ対シ原審カ証拠資料ニ基キ「其竣工後三年六ケ月間被上告人ニ於テ該船舶ヲ朝鮮清津府近海ニ於ケル鰯漁業ニ無償専用スヘキ旨ノ契約」成立シタル如ク認定シ該船舶専用ノ

場所及目的ニ付被上告人ノ明ニ主張セサリシ事実ヲ肯定シタレハトテ其ノ主張ニ係ル具体的請求ノ同一性ヲ害シタルモノト為シ難シ」（大判昭一五・一二・一〇新聞四六五四・一二）。

（ハ）　請求の目的物が賃借権等である場合の賃料等。

【71】　借地権の確認の訴において、「被上告人の本訴請求は……上告人の争う本件土地の賃借権そのものの存在を確認しその土地の引渡を求めるに尽きるものであつて、右賃貸借によつて被上告人の負担する地代債務の存否、ないしその額の確定を求めるものでないことは明白である。されば、原判決が本件賃借権の存在を肯認した上、さらに、被上告人において右賃借権を特定するため主張した一ヶ月の地代八一〇円七七銭を特に七六円二〇銭であると認めこれを主文に掲記したからとて、係争法律関係の存否に関してなされた判示ではないといわなければならない。」（最判昭三一・一・三一民集一一・一三三。但し、賃貸借存在の確認訴訟では具体的な内容を明らかにして賃貸借関係を特定する必要があり、賃料額を示した賃貸借の主張に対し、異つた賃料額の賃借権を確認するのは、一八六条違反である、とする少数意見がある。）（三ヶ月・民訴雑誌5一九二をみよ）。

（ニ）　期　間

【72】　被告所有の土地につき、「原告が賃借権（但し契約の終期昭和三十一年十二月三十一日）を有することを確認する」旨の判決が確定した場合、右判決の既判力は賃借権の存続期間については生じない。なぜなら、約定の内容として終期が何日であるかは確定せられているが、この主文が「借地権の存続期間を同日迄のものと確定したと断定することはできない」。けだし、約定は無効であることがあるから（東京高判昭三二・一二・二五下級民集八・一二・二四八七）。

しかし、存続期間の確定を含む確認判決はありえないか。

【73】　土地賃借権確認の訴において、「若シ上告人カ三十年ノ範囲内ニ於テ五年ノ賃借権ノ確認ヲ申立ツルモノトセハ縦令原院カ本件当事者ノ賃貸借契約ニ於テ三年ノ存続期間ノ定メアルコトヲ判断シタリトスルモ

借地法第十一条民事訴訟法第二百三十一条第一項ニヨリ五年ヲ存続期間トスル賃借権アルコトヲ確認セサルヘカラサルモノトス」（大判昭四・三・四評論一九民訴一〇五）。

借地法の特別規定があるので、借地関係については特別の考慮が必要なのであろう。

【74】　約束手形金請求の訴において、約束手形の満期日の主張の変更があっても、それは、満期日の表示の誤謬の更正で、「始メヨリ同一ナル約束手形ニ基キ之カ請求ヲ為スモノ」で「訴ノ請求ノ原因ヲ変更シタルモノト云フヘキニアラ」ず（東京地判大三・三・二五評論三民訴五一）（月賦弁済の特約の解除により一時に貸金の全部の支払を求める請求において、月賦弁済の始期を変更する場合も同様である。東京地判大一二・七・二八新聞八九二・二二）。

(2)　特異のものとして次の判例がある。

【75】　売掛代金残額請求の訴において、「原審ニ於テハ大正七年一月ヨリ大正八年五月二十日迄ノ間ニ於ケル呉服類ノ売掛代金残額ヲ請求シ居リタルニ拘ラス当審ニ至リ之ヲ大正五年三月八日ヨリ大正七年一月十一日迄ノ間ニ於ケル売掛代金残額ノ請求ニ更正シタル事ハ……単ニ……当事者間ノ取引期間ニ関スル主張ヲ訂正補充シタルニ過キスシテ新訴ノ提起ト目スヘキモノニアラ」ず（長崎控判大一三・五・一評論一三民八〇四）。

売買契約が一個で、その取引期間がAかBかのいずれかで双方ではありえない、という場合であったのであろう。しかし、取引期間がCで、AもBもその一部にすぎない、という場合もあるであろう。その場合でも、AからBへの変更は、C取引期間の代金全額のうちの一部請求を理由づける攻撃方法の変更にすぎないとでもいうのであろうか。

二　法的呼称の問題

請求原因は事実である。しかし、ある事実を原因としてある請求権の発生を認めるためには、その事実がある法律要件に該当するという判断が必要である。そこで、事実と法律要件事実との関連が問題となる。ところで、事実は、当事者がこれを主張する。当事者はしばしば法律要件事実の呼称を使用して事実を主張する。そこで、事実と事実の法的呼称との関係が問題となる。そこで、本節では、事実と、その法的呼称と、その法律要件該当性とを、いちおう、観念の上で、区別しながら、これらの相関関係を、その単複という観点で、判例がどう処理しているかを分析することにする。

（一）序

複合した事実のなかから、訴訟物の単一性を左右するものと左右しないものとをどのようにして選別するか。判例は、「判決ノ……基本タルヘキ事実ノ来歴経過ニ関スル事実ノ如キハ事実承審官カ証拠ニ依リ其主張ト異ル事実ヲ認定シ得ヘキモノトス」（契約締結の順序、大判大七・九・五民録二四・一六一九）（同旨、所有権取得の原因、大判昭二・一〇・一五新聞二七七三・一五・最判昭二五・一一・一〇民集四・一一・五五一、保険金債権譲渡の事情や動機、最判昭二七・一二・二五民集六・一二・一二四〇）といい、「裁判所ハ原告ノ主張スル事実中如何ナル部分カ請求ノ原因ヲ成立スヤ其ノ原因タル事実カ如何ナル法条ニ該当スルヤヲ其ノ総テノ陳述ニ基キ主張モノ趣旨ノ存スル所ヲ観察シテ判断スヘキモノニシテ当事者ノ陳述スル法律上ノ意見ニ拘束セラルヘキノニ非ス」（大判昭一〇・三・一四新聞三八二七・一一）といっている。

とくに、「原告が訴訟物を特定する事実を主張しながらこれに対する法律的評価を誤りもしくは、その実体に合致しない法律的名称を使用したような場合には、裁判所はその法律的見解に拘束されることなく、これと異る法律的見解の下に原告の請求を認容し得べきこと勿論である」（最判昭三〇・一一・八裁判集民二〇・三七三）。

してみると、判例が、誤つた法的呼称の使用と判断している場合には、訴訟物は特定されているという状態を前提としていることになろう。従つて、このような場合については、判例が、訴訟物特定のために必要な要素として何を考えているかを推測することが、あるていど、可能である。逆に、法的呼称の誤りではないとしている場合には、数個の法的呼称の主張は数個の事実の主張と考えられていることになり、それら数個の事実の主張が数個の請求の主張と目されるべきかの問題が残るわけである。

(二)　特定の契約から発生する権利の性質

数個の異る権利が主張されているにもかかわらず、主張された事実からは一個の契約に基き生ずる一個の権利しか考えられないような場合である。

【76】　特定の「契約ニ基キ有スル権利ヲ控訴人ニ於テ侵害シタルニ依リ其賠償ヲ求ムト云フ」訴において、「右権利ノ性質ニ付キ所有権ナリ然ラストスルモ所有権ノ移転ヲ請求シ得ル債権ナリト釈明シタル後直チニ之レヲ更正シ所有権ナリトノ主張ヲ撤回シテ債権ノミヲ維持シタリト雖前記ノ如キ原因タル事実関係ニシテ一定スル以上右ノ釈明更正ハ民事訴訟法第百九十六条第一号ニ該当スルモノ……」(函館地判大一二・六・一二新聞二〇二二・二二)。

【77】　AはYに対しある商品の製作納入を請負い、その資金をXから借り入れ、XAY間で、YがAに支払うべき代金の一部をYがXに支払いXはこれをもつてAへの貸付金の回収にあてる旨の契約が成立した。Xは右金額の支払をYに訴求して、右代金債権につき質権を取得したものとしこれに基く取立権を主張したが容れられず、Xの請求棄却の判決が確定した。Xは右金額の支払を再度訴求し、右契約に基く取立権を主張した。しかし、この場合、前判決は

「債権質の成立のみを否定したので、本訴における原告主張の特殊の取立権の発生までは否定したものでないかのように解されるのであるけれども、前訴における原告の主張を維持するものは結局右約定から発生す

る取立権なのであつて、右約定が債権質設定契約に当らないというだけでは、原告主張の取立権の存在を否定することにはならないわけである。従つて、前審裁判所が原告のこの点に関する主張を容認しなかつたのは、結局右約定から原告主張債権の取立権を原告は有していない旨の判断をしたからのことであろうし、仮にそうでなかつたにせよ、とにかく、原告が本件代金債権につき取立権がないとする判決が確定した以上、原告は右約定に基いて発生する取立権を有することは、爾後主張することができなくなつているといわざるを得ない。そうすると、原告が本訴で主張している取立権なるものは、正に右判決の既判力からしてこれを否定せざるを得ず、原告がその取立権を有する旨の主張が採用され得ない以上、原告は本訴につき正当な当事者たる適格を欠くことになり、その訴は却下を免れない。」（東京地判昭三一・一一・三〇下級民集七・一一・三四七九）（三ケ月・民訴雑誌5二二六）。

ところが、これが賃借権か地上権かということになると、話がちがつてくるのである（一九をみよ）。

（三）　消費貸借と準消費貸借

【78】「貸金の返還を請求し、消費貸借を主張したところ、消費貸借の事実はないと認定され、しかし準消費貸借であると認定され、請求認容の判決があつた場合、それは一八六条違反ではない」（但し、準消費貸借によつては請求しない旨を特に明示していないかぎり。福岡高判昭三二・九・二〇民集一〇・七・四三五）（三ケ月・前掲一七七）。

おそらく、準消費貸借に該当する事実は陳述されていたのであろう（そうでないと、準消費貸借に該当する事実を認定することは弁論主義に反することになろう）。そして、それを、消費貸借と誤称していたのであろう。しかし、それにもかかわらず、とくに準消費貸借によつては請求しない、とはどういうことであろうか。

【79】所有権移転登記請求の訴において、特約に基く売買完結の意思表示をしたことを理由とする場合に、AのY被告に対する消費貸借上の債権をXに譲渡し、Yは右債権担保のためにY所有の不動産につきXのため売買の予約をし、右債務を期限に完済しないときはXが売買完結の意思表示をして所有権を取得し以て決

済する特約について、「審理の結果消費貸借でなくて準消費貸借と認むべきときは裁判所は準消費貸借の成立を肯定しこれに基き請求の当否を判定するも、当事者が特に準消費貸借によりては請求しない旨表明しない限り、主張しない事物を当事者に帰せしめたといえない。」(大阪地判昭三一・九・一七下級民集七・九・二五六三)。

登記請求の原因たる売買の、そのまた原因たる債権担保の、その債権の発生原因についてまで、【78】と同様のことをいう必要があるのだろうか。又、とくに準消費貸借によっては請求しない旨が明示されているとはどんな場合か。

【80】 XのYに対する金銭請求の訴において、裁判所が、YがXの夫から金員を借り受け、弁済期経過後の残債務につき利息を含めてYとXの夫との間に準消費貸借が成立し同時に債権者がXの夫からXに代る債権者の交替による更改があったと認めた場合において、「当事者が通常の消費貸借(狭義の消費貸借)の成立を主張する場合に、既存債務を目的とする準消費貸借の成立を認定することが当事者の主張の範囲内に属すると解しうるか否かについては疑問の余地がないではないが、少くとも準消費貸借の成立にあたり新旧債務の同一性を当事者が否定する意思があったことが証拠上認められるとき、或は債権者が訴訟上これを明白に否定する意思を表明したときにあっては、両者はそれぞれ債権発生原因を異にする全然別個の請求とみるべきであって、両者間には同一性がなく、準消費貸借の成立については判断することができないと解すべきである」が、本件では、まさに、そのような場合に該当するので、準消費貸借に基づく返還請求として判断することは許されない(盛岡簡判昭三三・一一・六時報一六九・二五)。

つまり、ある事実が、消費貸借の呼称で主張されても、それが準消費貸借の要件に該当するときは、右主張を準消費貸借の主張として、裁判すべきであり、とくに準消費貸借によっては請求しない旨を明示するとは、準消費貸借の目的たる債務が消費貸借により生じた債務であることを否定することを指すのであろう。

そうすると、消費貸借に該当する事実とこの消費貸借により生じた債務を目的とする準消費貸借に該当する事実が、ともに、予備的又は選択的に主張されている場合は、どうであろうか。四(三)(1)(イ)をみよ。

【81】「当事者間ニ準消費貸借成立シタリト云フハ帰スルトコロ消費貸借ニ因ル債務ノ成立シタル事実ヲ主張スルニ外ナラサルヲ以テ当事者カ前者ノ事実ヲ主張シタル場合ニ裁判所カ簡易ノ引渡ニ因リ現金ノ授受ヲ了シ之ニ因リテ消費貸借ニ因ル債務ノ成立シタル旨ヲ判示シタレハトテ該認定カ訴訟資料ニ基クモノナル以上当事者ノ主張ニ係ル範囲内ニ於テ為シタル事実上ノ判断ニ非スト為スヲ得ス（昭和……九年三月三十日言渡当院判決参照）」（大判昭九・六・三〇民集一三・一一九七）。

これは、準消費貸借の事実がその呼称で主張され、しかし、簡易の引渡による現金の授受の事実が訴訟に現われたため消費貸借の要件にも該当する場合であつたのであろう。「帰スル所消費貸借……」というのは、請求は単一であるという意味なのであろうか。そうだとすれば、これは注目に値する。

以上、要するに、結局は金銭の貸借でありながら、それを求める訴訟物の特定に必要な事実としては、法規（民五八七・五八八）の定める要件に該当する事実が要求されている。目的物たる金銭が、諸般の事情から単一であると認められる場合には、その金銭を目的物として、同時に消費貸借と準消費貸借とが成立することはありえないから、それで差支えはないのであろう。

しかし、同一物の返還請求において、簡易の引渡による消費貸借の主張と、予備的に、簡易の引渡が認められない場合のための準消費貸借の主張とがなされた場合、これを請求の併合といわなければならないことになろうが、そうする実益はどこにあろうか。

（四）　寄託・消費寄託・準消費寄託

【82】　玄米引渡請求の訴において、「当初大正七年五月十日当事者間ニ為シタル寄託契約ヲ以テ本訴請求ノ原因ト為シ其後……本件玄米ニ付準消費寄託契約成立シタル旨主張スレトモ畢竟同一契約ニ対スル法律上ノ名称ニ付キ前後見解ヲ異ニシタルニ過キス」（新潟地判大一二・四・一二評論一二民法二三七）。

寄託とか準消費寄託とかは、「同一契約」に対する法律上の名称に関する見解であるならば、それを決定するのは、裁判所の職権に属することになろう。しかし、そのためには、寄託と準消費寄託を区別するのに必要な事実が主張されていなければ、裁判所は、それをいずれかに決定することはできないであろう。ところで、訴訟物を特定する要素としては、右の事実は、必要ではないというのであろうか。つまり、右の事実の主張なしに、案件において、「同一契約」を認識したのであろうか。そうだとすると、契約の単一性は、寄託と準消費寄託を区別するのに必要な事実を除いて、いかにして認識されたのか。某年某月某日の玄米についての甲乙間の契約ということでその契約の単一（特定）性が認識されるというのであろうか（同日に甲乙間に同種の目的物の同種の契約がないかぎり）。それとも、事案においては、準消費寄託の事実を陳述するのに寄託の呼称を用いていたのであろうか。

しかし、

【83】　金銭請求で、消費寄託が主張され、しかし、主張された事実は準消費寄託に該当するという場合、

「裁判所ハ準消費寄託ノ成立ヲ肯定シ之ニ基キ請求ノ当否ヲ判定スルモ当事者カ特ニ準消費寄託ニ依リテハ請求セサル旨表明セサル限リ主張セサル事物ヲ当事者ニ帰セシメタルモノト謂フコトヲ得ス何トナレハ現金ノ消費寄託ト云ヒ準消費寄託ト云フモ寄託ナル法律関係ハ同一ナルヲ以テ彼是変更ヲ加フルモ其同一性ヲ失ハサレハナリ」（朝鮮高判大一二・一〇・三〇評論一三民法一九九）。

準消費寄託か消費寄託かの、どれか一方だけが主張され、従って、契約が単一であることが明らかな場合には、その法的呼称を誤っても、認定される権利又は法律関係は単一であるから、【83】の理由づけも妥当するであろう。しかし、消費寄託と準消費寄託とが二個の別異の事実の予備的な又は選択的な主張として主張されている場合でも、「寄託ナル法律関係ハ同一ナルヲ以テ」というのであろうか。もしそうだとするならば、請求を特定するのに必要な事実として、法規の定める法律要件事実の細目に亙るすべてが必要なのではなく、最大公約数的な事実（例えば、「寄託」「貸借」「運送」など）で足りると考えていることになる。

（五）　更改と準消費貸借

【84】　抵当権設定登記請求の訴において、被担保債権の成立原因につき、従来の貸金債権についての、更改の主張を、準消費貸借の主張に改めた場合、「本件ニ観ルニ当該抵当権ノ基本タル一ノ具体的債権ソノモノヲ以テ始メ甲債権ナリトセシヲ後ニ乙債権ト主張スル次第ニ非ス主張セラルル債権ソノモノハ唯一ニシテ無二終始渝ルトコロ無ク従ヒテ抵当権ソノモノ又従ヒテ其ノ登記請求権モ総テ変更アルコト無キカ故ニ之ヲ訴ノ変更ナリ」ということはできない（大判昭八・二・七民集一二・一三六）。

登記請求を特定する要素としては、被担保債権（＝法的効果）の単一性は必要であるが、被担保債権の特定のためには、ある契約という最大公約数的事実で足り、更改と準消費貸借を区別するのに必要な細目的事実は必要でない、というのであろうか。そうすると、設定登記請求において、このような考え方をするのは、なぜであろうか。設定登記請求を特定するのには、設定契約の事実と「債権」という最大公約数的事実で足りるというのであろうか。その根拠は?

それとも、「債権ソノモノハ唯一」というのは、更改の目的となつた債務も、準消費貸借の目的となつた債務も同一であるがゆえに、この場合には、更改とか準消費貸借とかは法的呼称の誤りの問題として処理しうるというのであろうか。しかし、更改後の債務と更改前の債務とを同一と把握してよいというのであろうか。

（六）　組合契約と一種の契約

【85】　ある特定の契約に基いて発生した贓割配当金請求権の譲受を原因とする金銭請求の訴において、その契約が組合契約であるとの主張を、これと異る一種の契約であるとの主張に改めた場合、「斯クノ如キハ只契約ノ性質ニ関シ解釈ヲ異ニセル迄ニシテ請求原因タル事実ヲ変更セルモノト云フヲ得ス」（東京控判大三・一一・五評論四民訴四四）。おそらく、法的呼称の誤りの問題として把握すべき事情であつたのであろう。

（七）　単独と連帯

【86】　一五〇円の貸金請求の訴において、「原審ニ於テ本件ノ貸金ニ付テハ控訴人Yと訴外Gト連帯シテ其債務ヲ負担セル旨ヲ述ヘ……当審ニ於テ控訴人Yノミニ対シテ貸付ケタル旨ヲ主張シ」ても「本件債務ニ付キ連帯債務ヲ負担セリヤ否ヤニ関スル事実ハ控訴人Yト被控訴人Xトノ間ノ貸借関係ノ同一性ニ影響ヲ及ホササルヲ以テ……訴ノ原因ヲ変更シタルノモノト為スニ足ラス……」（東京控判大六・七・二一新聞一三一五・二五）（事案は、複雑のようである、明四二

・四・二五にXがY及びGに一六五〇円貸付けた金の一部たる一五〇円との主張と、XのYに対する売買代金の残金一五〇円について準消費貸借が同一日に締結されたとの主張が原審でなされているので、一五〇円が単一のものか、二個の別のものかが明らかでない)。

この事件では、誤って連帯債務と主張したのを単独債務に訂正したのではなく、異つた事実として単独貸付を主張したのであろう。しかし、二個の事実が併存した場合ではない。そのいずれかでしかありえない場合のようである。この場合に、「貸借関係ノ同一性ニ影響」がないというのは、訴訟物を特定する事実としては、最大公約数的「貸借」の事実で足りる(単独か連帯かを区別するのに必要な事実は必要でない)と考えられたからであるようである。しかし、それは、債務の目的物(一五〇円)が単一であると考えられたからではなかろうか。

【87】「売買代金を請求し訴外Aの仲介で被告が買つた旨主張したところ、Aと被告とは共同買主であつたと認定され請求認容の判決があつた場合には、一八六条違反の問題は生じない」(最判昭三〇・四・七民集九・四・四六六)(商法五一一条の適用される場合には全額が認められ、そうでない場合には半額しか認められないのであるが、そうであつても一八六条違反の問題を生じない)。

【87】は次の点において、注目されるべきであろう。㈠単独債務の主張に対し連帯債務を認定することとは一八六条違反でないとする点。㈡単独債務の主張に対し分割債務を認定することも一八六条違反でないとする点。単独債務という原告の呼称が誤りで、原告の主張する事実は共同債務の成立要件に該当するものであつたのであろう。では、その共同債務が連帯であるか、分割であるかは、何を資料として判断されるか。「連帯債務たる事実関係を何ら主張しないときは、これを分割債務の主張と解すべきである」(最判昭三二・六・七民集一一・六・九四八)。

【88】　被告が起工者として不法に突堤を築設したことを理由とする損害賠償請求の訴において、被告は、起工者でなく、起工者Kを幇助したのである事実が認定された場合、原告はこれを請求の原因としていない

から、「被上告人ノ起工者タル事実ヲ否定シタル以上仮令Kノ突堤築設ニ付被上告人カ幇助ヲ為シタル事実ヲ認メタリトスルモ上告人ノ請求ヲ是認スルヲ得サル筋合ナレハ民法第七百十九条ヲ適用セサルハ寧ロ当然」である（大判大三・一一・二五民録二〇・九八〇）。

連帯債務たる事実関係が訴訟上現われており、かつ、それが証拠により認定される場合でも、それが原告から主張されないかぎり（前掲、最判昭三二・六・七のいいまわし方をみよ）、連帯債務を判断することは許されない、というのであろうか。それとも、実行行為と幇助行為とは異り、その相異は訴訟物を別異にする、という考え方なのだろうか。最高裁の判決【87】との関連が問題である。

【89】「所謂請求ノ一定ノ原因トハ権利ノ因テ生スル事実カ明カニ定マルコトヲ要スル意ニシテ必スシモ一箇ノ原因ニ限ルモノニアラス故ニ苟クモ明カニ定マリタル以上ハ二個ノ事実ヲ以テ一ノ訴ノ請求ノ原因ト為スモ敢テ妨ケアルコトナシ而シテ本件ニ於テ控訴人ハKヲ被控訴人ノ代理人ト信シテ契約ヲ締結シタルモノナリト主張シ仮リニKヲ被控訴人ノ代理人ニ非ストスルモ尚被控訴人ハ共同運送者トシテ賠償ノ責ニ任スヘキモノナリトノ理由ニ依リ本訴ノ請求ヲ為スモノナレハ控訴人カ権利上ノ原因ハ明カニ定マリタルモノ……」（東京控判明三五・一〇・三〇新聞一一三・八）

このように、現実には二個の事実として存在しえないが、観念的には二個の事実として考えられうる事実が、予備的に主張されている場合、「請求ノ一定ノ原因」の要件を充足するというけれども、これは同時に、請求は単一であり請求の予備的併合はない、ということを意味するか。「一ノ訴ノ請求」を一の請求と解すれば、そういうことになる。

（八）　連帯と連帯保証と保証

【90】 貸金請求の訴において、「上告人カ第一審ニ於テハ本訴訴訟物ヲ以テ連帯債務ナリト主張シ居リシヲ第二審ニ至リ之ヲ連帯保証債務ト改メタルハ債務ソノモノトシテハ全ク別異ノソレヲ主張スルモノ」だから「訴ノ変更」である（大判昭五・八・二四新聞三一六一・一〇、破毀差戻）（どんな事実を連帯債務と主張していたのか、明らかでない）。

【91】 連帯債務の履行を請求したのに、保証債務に基づく金銭の支払を命ずるのは、催告の抗弁、検索の抗弁等の提出の機会を不当に奪うことになり、「原告ノ申立テサル事項ヲ原告ノ利益ニ帰セシメ」るものである（朝鮮高判昭一五・九・一七評論三〇民六一）。

【92】 被告を連帯債務者として提起した請求を連帯債務者でないとの理由で「却下」した前訴の確定判決に対し、被告を「保証債務者ナリトシテ其債務ノ履行ヲ請求スル本訴ハ前訴ト同ジク甲第一号証ノ元利金ヲ以テ請求ノ目的トナスト雖モ之カ為メ本訴ヲ以テ前訴判決ノ確定力ヲ無視シタルモノト謂フヲ得ス」（大判明四二・一〇・二〇民録一五・八一三）。

【附1】 「AがXに宛て振出した約束手形金の支払を求める訴訟で、被告は振出人のため保証したと主張し、訴の係属中に、予備的に、被告はAと共同して右手形を振出したと主張した場合、それは請求原因の予備的追加たる訴の変更に該当する」（大阪地判昭三四・四・一三下級民集一〇・四・七二五）。

【附2】 金一二五万円余の支払請求の訴について、「被上告組合が、本訴において、上告組合以外の上告人らが上告組合と共同して本件約束手形を振出したものであると主張して、これが手形金の支払を請求したものであることは、記録上明らかであるから、原判決が、たやすく右上告人らが手形上の保証人であることを理由として被上告組合の請求を認容したのは、ひつきよう被上告組合の主張の解釈を誤り、申立てない事項によって判決した違法を免れず……」（最判昭三五・四・一二民集一四・五・八二五）。

訴訟物の特定の要素として、債務の法的性質が考えられている。そしてこの債務の法的性質の相異は、その発生要件事実の相異を反映している。【90】【92】ともに、原告の法的呼称が正しかった場合であるらしい。しかし、ここでも、現実には両者ではない一個の事実が、観念的に、両者の形で、しかし、予備的に又は選択的に、主張されている場合の問題が残る。【90】は、この場合、請求は二個であると考えている。【92】は、目的物が単一であることを認めながら、請求は別異であるとしている。【91】の場合、保証債務に基く金銭の支払を命ずることが、なぜ、できたのであろうか。保証債務に該当する事実が弁論のうちに現われていたのではなかろうか。そうすると、連帯債務の呼称が誤りであつたことの可能性と、保証債務としては、つまり、保証債務の事実を請求原因としては、主張しなかつたことの可能性がある。

（九）　連帯債務と分割債務

【93】　前掲【87】と同一判例　売買代金請求の訴において、原告Xが被告Yに売渡したとの主張に対し、被告とAとの共同買受を認定することは、

「Y一人が買主ならば代金全額をYに請求できるが、Yと外一名の共同買受ならば商法五一一条の適用される場合に当らない限り、代金債務は分割されて半額しか上告人に請求できないわけであり、（民法四二七条）、全額の請求に対し半額の請求すなわち一部分の請求が認められる結果となるに過ぎないものであつて、別段民訴一八六号違反の問題を生じない。」（商法五一一条の適用がある場合には全額の請求が認められるだけであり、これまた一八六条違反の問題の生ずる余地はない）（最判昭三〇・四・七民集九・四・四六六）。

売買代金請求の特定のためには、「共同買受」の事実だけで足り、連帯の意思表示の有無の事実は必要でないというのであろうか。そうすると、分割か連帯かは、訴訟物を特定するのに必要な要素ではないということになり、これは、注目に値する。

【94】「被控訴人ハ第一審ニ於テハ連帯ノ事実ヲ主張セスシテ控訴人両名ニ対シ可分的ニ請求シ当審ニ至リ

連帯負担ノ事実ヲ主張シ控訴人各自ニ対シ全部ノ請求ヲ為スト雖モ之レ民事訴訟法第百九十六条第二号ニ該当スル訴ノ申立ヲ拡張スルモノ……」（東京控判明三八・六・八新聞三七五・二二）（同旨、東京地判大五・三・二五新聞一一一八・二九）。

逆の場合は申立の減縮である（東京地判大四・一二・二八新聞一一六一・二三）。

分割債務に該当する事実を主張し後に連帯債務に該当する事実が主張された場合、「訴ノ原因」の変更はない。現実には一個の事実しか存しないからであろう。しかし、請求の変更はないのか。「申立ヲ拡張スル」ことの中には、一個の申立の範囲内で新請求を追加することを含むのか。おそらく、請求の趣旨の内容たる数量の拡張を念頭においているのではないか。そうすると、逆の場合には、いわゆる請求金額の減縮となり、さらには、連帯債務をとくに主張しない場合には、一種の（全額を明示しない）一部請求ということになるが、果して、そのように考えられているのか。

【95】「Y_1 Y_2 はXに対し四五万円支払えとの確定判決に対し、Y_1 Y_2 は連帯して二二万五千円支払えとの主張は許されない」（分割債務として計四五万円の確定に対し、連帯債務四五万円の残額二二万五千円の主張は許されない）（最判昭三二・六・七民集一一・六・九四八）（三ケ月・前掲二二六）。

それは、なぜか。

【96】「（確定判決はその主文に包含するものに限り既判力を有するから可分な権利関係の一部を訴訟物とした場合には既判力はその部分に限り生じ残余の部分には及ばないけれども、分割債務と連帯債務との関係はこれと異り可分な権利関係の一部として夫々併存することはあり得ない）」（京都地判昭二六・一〇・五下級民集二・一〇・一一一七）

からである。

そうすると、併存することのありえない甲乙両関係のうち一方が認められると、他方を主張することは既判力により妨げられることになる。なぜか。請求権の発生原因として主張された事実関係が単一であると考えられたからではなかろうか。そうすると、現実には（分割か連帯かのいずれかである）単一である事実が、主張の上では、二様に（分割と連帯）主張された場合、二個の請求の併合という考え方をとると、別訴で主張された場合には、重複起訴にならず（前訴と後訴とが予備的又は選択的関係にある場合には重複起訴になるという考え方をとらないかぎり）一方の敗訴判決の既判力は他方の訴に及ばぬことになり、【95】の場合、Xは敗訴したほうが利益であつたかも知れぬことになりはしないだろうか。さりとて、一方の訴の勝訴判決のみが他方の訴に既判力を及ぼすというのであろうか。むしろ【95】の判決の底には次の考え方があるのではなかろうか。分割（に該当する事実）とか連帯（に該当する事実）とかは、請求を特定するための要素ではなく、請求を理由あらしめるための攻撃方法であるに止まり、それゆえにこそ、連帯に該当する事実を主張しなかつたために（又は主張しても）それが認められなかつた場合には、それを主張して同一請求につき審判を求めることが既判力により遮断されるのであるという考え方が。そうすると、この考え方は、連帯と分割の関係のみに妥当するのではなく、他の場合にも妥当しはしないか、がさらに問題として残るであろう。

【附】「連帯債務を分割債務と誤つてした債権者の申立に基づいて発せられた支払命令が確定した以上、債権者は、改めて連帯債務として訴求することはできない」（台湾高判昭一三・二・二一七評論二八民訴二九）。

（一〇）　保証と引受

【97】　貸金請求の訴において、被告は債務を保証したとの主張を、被告は債務を重畳的に引受けたとの主張に訂正することは、「訴状中ノ請求原因トシテ記載セラレタル所ヲ参酌シ殊ニ弁論ノ全趣旨ニ徴スルトキハ誤解ニ出テタル法律上ノ見解ヲ開陳シタルニ過キスシテ終始債務ノ重畳的引受ニ関スル事実ヲ本訴請求ノ原因トシテ主張セルモノナルコトヲ認メ得ヘク訴ノ原因ニ変更ナキモノ……」（東京控判大九・二・二新聞一六七二・一六）。

これは、明らかに、法的呼称の誤りを訂正したのにすぎない場合である。

【98】 XのOに対する貸金につき、「甲第二号証ニハ被告Y外三名ヨリX宛大正二年十月二日附ニテOノ財産ヲ売却シテ同人ノ債務ヲ返済シ若シ不足ヲ生シタルトキハOハ勿論Y及T・U三名ヨリ弁済ヲ為ス可キ記載アル」場合、Xが前訴で債務引受を主張し、本訴で連帯保証を主張しても、「前訴ト本訴トハ全ク同一ナル大正二年十月二日ノ契約関係ヲ請求ノ原因トシテ主張シ二者其実質ニ於テ異ナルコトナク只債務ノ引受又ハ連帯保証ナル法律上ノ用語ヲ異ニスル差異アルニ過キサルナリ」（大阪区判大六・二一・五新聞一三四四・二八）。

【96】は、原告が法的呼称を誤つた場合である。【98】は、そうとはいえない場合である。【98】の場合には、保証と引受とを区別するのに必要な事実が提出されなかつたようにみえる。このような場合、裁判所は、釈明させなくてもよいのであろうか。【98】では釈明させなかつたようにみえる。原告の主張だけで請求を特定するのに必要な事実が十分に提出されたと考えられたようである。保証と引受を区別するのに必要な事実が提出されなくても、請求は特定されうるという考え方は注目に値しよう。この考え方を可能ならしめるものは、保証された、又は引受された債務の単一性の認識であり、さらには、保証か引受かは、客観的事実を資料として、裁判官の意思解釈によつて、これを定めることができるとする考え方ではあるまいか。

（一一）　債務引受の種類

【99】 「重畳的債務引受ト云ヒ又免責的債務引受ト云フモ其差ハ要スルニ従来ノ債務者カ依然債務者タル地位ニ残留シ債務引受人ト連帯責任ヲ負担スルカ又ハ全然債務関係ヨリ免脱スルカニ在リテ債務引受人カ債権者ニ対シ従来ノ債務者ノ負担セルト同一ノ債務ヲ負担スルニ至ル点ニ於テハ両者ノ間何等ノ差異アルモノニ

非ス従テ両者ノ中何レカ一ノ主張アル場合他ヲ認定スルモ之ヲ以テ当事者ノ主張セサル事実ヲ認定シタルモノト為スコトヲ得サルモノトス」（大判昭一〇・三・六 新聞三八四四・九）。

請求は債務引受に該当する事実によって十分に特定し、重畳的か免責的かの事実の相異は、請求の特定のためには、必要でない、というのであろう。なぜか。債務引受人に生ずる効果が全く同じだから、というのである。法的効果に着目している。又、債務引受に該当する事実という最大公約数的事実に比重を置いている。いずれか一方のみの主張がある場合に他を認定することは、申立主義には反しないだろうけれども、弁論主義にも反しないというのだろうか。それも、重畳的か免責的かは、裁判所に許される意思解釈の問題であるというのであろうか。

（一二）　雇傭・委任・請負

【100】 YがXとXをして債権取立をさせる契約をしたが、成果があがらないので右契約は解除された。右契約をXは雇傭と解し、退職手当金及び給料の残額請求の訴を起したが、裁判所は、右同一契約を「要するに右契約の当初における目的は被告がその債権の取立をそれが実現した場合に報酬を支払う約定で原告に委任するにあったものと解するのが相当であり傍点—筆者」として、委任契約に基く毎月支給すべき生計費として右の金銭請求を認容した（東京地判昭三四・五・一二 労民集一〇・三・六三六）。

ここで注目すべきは、契約が単個であること、及び、雇傭か委任かは、雇傭と委任を区別する事実の認識を基礎として決すべき問題ではなく、そうした事実が多義的なままになされうるところの契約の解釈の問題であると考えられているように見えること、である。他の場合についても、同じ考え方で把握できないのであろうか。

【101】工事をした工賃支払をの求める訴において、雇傭契約による報酬金であるとの主張を請負契約に基く報酬金であるとの主張に改めた場合、「原告タル上告人ノ第一審ニ於ケル陳述ハ結局斯ル原因（工事請負工賃―筆者註）ヲ主張シタルモノニシテ雇傭契約ニ基ク報酬ノ支払ヲ求ムル旨ノ主張ノ如キハ単ニ法律上ノ申述ヲ為シタルニ他ナラ」ず、「訴ノ原因ヲ変更シタルコトナキモノ」である（大判大七・六・一二新聞一四五七・一九）。

これは、法的呼称の誤りの訂正に該当する場合である。

（一三）　請負と売買

【102】Xは Y に対し九四、五六五円を訴求し、AがYに建具を売った代金債権をXに譲渡したと主張したが、第二審は、YがBから歯科医院の建築工事を請負い、そのうち建具取付工事について、YA間に下請負契約を締結し、Aがその下請負工事の未払金債権六八、〇〇〇円を九四、五六五円としてXに譲渡した事実を認定し、Xの請求を六八、〇〇〇円の限度で認容し（残余の部分は棄却し）たが、上告審札幌高裁は、これを破棄差戻した。「………Xは請求原因として終始売買の主張を維持しているのであって、訴を変更して下請負契約を主張した形跡もなければ予備的に下請負契約を主張した形跡もない。されば原判決は、Xが請求原因として主張しない下請負契約の事実を認定して、Xに有利な判決をしたものであって、民事訴訟法第一八六条に違背する。そして右違背が判決に影響を及ぼすことは明かである。……請求棄却の部分と請求認容の部分とはともに不可分の同一契約すなわち一箇の下請負契約の認定のもとに結論されているのであって、右下請負契約そのものが当事者によって請求原因として主張せられていない以上は、請求棄却の部分も認容の部分もひとしく本件訴訟物を判断した結果ではないわけであるから、両者とも破棄の運命を共にすべきものと解するを相当とする………」（札幌高判昭三二・五・一三民集一〇・四・二二三）。

【102】では、Xの請求権の発生原因は債権譲渡である。問題になつたのは譲受債権の発生原因である。

これを売買と主張し後に請負と主張することは、異る請求原因の主張で、訴訟物も異るというわけである。請求の特定のためには、目的物が債権である場合には、その債権が承継されたものであつても、債権の発生原因たる事実により特定することが必要であるというのである。そうすると、金銭請求において、売買代金の主張を請負代金の主張に変える場合と異ならない。

【102】では、売買と請負を区別する事実のうち売買に該当する事実のみが主張されたのであろうか。【98】のような考え方をした原判決が否定され、売買から請負への変更は訴の変更であると考えられている。しかし、売買か請負かは、しばしば、契約の解釈の問題ではなかろうか。又、下請負契約は、請求原因としては主張されなかつたのかも知れなかつたが、事実としては、少くとも、訴訟に現われていたわけである(だからこそ認定されたのである)。この場合、単一契約が請求原因として主張されているかぎり、それが下請負である事実は、原告の主張がなくても、認定できはしないだろうか。

(一四)　売買の呼称

【103】　買主が土地を処分したことにより生じた損害の賠償を売主が求める訴（らしい）において、買主たる「控訴人ハ当審ニ於テハ本訴売買ヲ信託的売買ナリト主張セルニ拘ハラス原審ニ於テハ之ヲ虚偽ノ売買ナリト主張セシコトハ原判決ノ記載ニ依リ明カナリト雖モ……控訴人ハ既ニ原審ニ於テモ本訴売買ハ担保ノ目的ニ出シモノナリト主張セシコト明白ナリ従テ控訴人主張ノ趣意ハ当初ヨリ本訴売買ヲ信託的売買ナリト云フニアリシモ偶信託的売買ノ本質ヲ誤解シタルカ為原審ニ於テハ虚偽ノ売買ト主張セシモノト認定スルニ難カラス原因ニハ何等ノ変更ナシ」(東京控判大元・二・一新聞八七二・二五)(類似、東京地判大八・一二・二四評論九民訴二八)。

これは、正しかつた法的呼称を誤つたそれに変えた場合である。しかし、虚偽の売買と信託的売買との双方を（それぞれ正しい呼称で）二者択一的に主張する場合は、どう考えるべきか（四の（一一）参照）。

【104】「控訴人カ……契約ニ基キ其履行ヲ求ムル点ハ原審以来一貫シテ渝ラサルトコロニシテ其契約カ虚偽仮装ナルカ為無効ナリヤ将又信託売買トシテ有効ナリヤ後者ナリトスルモ其内容カ本訴其他ノ不動産ヲ無償ニテ寄託スルニアリヤ又ハ債権担保ノ目的ニ出テタルモノナリヤ等ノ点ハ法律上ノ見解ニ過キサルモノト見ルヲ妥当トスルカ故ニ控訴人カ右契約ヲ先ツ仮装ナリト見テ其契約ノ無効確認及本訴不動産ノ返還及其移転登記抹消手続ヲ求メ予備的申立トシテ該契約カ信託売買ニシテ其内容カ無償寄託ナル場合ニ於テハ単純ニ不動産ノ返還及其移転登記抹消手続ナル給付ヲ求メ其内容カ債権担保ニ在ル場合ニハ弁済ノ提供ヲ為シ同時ニ右同断ノ給付ヲ請求スルモノナレハ本訴請求原因タル事実カ不定ナリトノ抗弁ハ採ルニ足ラス」（宮城控判昭三・一二・二〇新聞二九一八・五）。

これは、ある契約の無効を前提とする主張と有効を前提とする主張をいわば二者択一的に提出している場合である（後述四の（一一）をみよ）。

【105】 SがZの所有不動産に対し強制競売を申立て、Yが競落し、所有権移転登記を経たところ、Xが競売に対抗しうる所有権を主張して、右登記の抹消を求める訴において、XのZからの所有権取得原因に関する主張として、「Xハ大正二年十月二十九日Zニ対シ金一万円ヲ貸与シ同時ニ之ヲ負担スル為メ売買名義ヲ以テ……ノ所有権ヲ取得シ（即チ信託的売渡）大正三年十月二十八日迄ニ前ノ売買代金（即チ貸金元金）ヲ返還スル時ハ此物件ヲZニ返還スヘク此期間ヲ経過スル時ハZニ代金ヲ支払ヒ物件ヲ取戻スコトヲ得サルコトトセリ」云々の主張をしたが、原判決は、これを買戻約款附売買と認定した。しかし、それは、「XトZトノ間ニ成立シタル法律行為ニ付其意思表示ノ内容ニ基キ之カ法律上ノ性質ヲ定メタルモノニ外ナラス而シテ裁判所ハ法律上ノ性質ヲ判断スルニ際タリ訴訟当事者ノ意見ニ拘束セラルヘキニアラサルヲ以テ当事者カ其法

律行為ヲ以テ信託的売買ナリトスルニ拘ラス裁判所ニ於テ之ヲ買戻約款附売買ナリト認定スルモ当事者ノ主張以外ニ逸出シテ事実ヲ確定シタルコトト為ルコトナキモノトス」（大判大六・九・二〇民録二三・一四四五）。

これは、原告が法的呼称を誤り、裁判所が正しい法的呼称を用いた、という場合である（しかし、呼称の問題に止まるか、契約の解釈の問題か、の問題は残るし、それと、訴訟物の特定と、どう関連するかの問題も残る）。

【106】 X対Yの家屋引渡及び所有権移転登記請求の訴において、

「上告人Xノ本訴請求原因トスル所ハ……被上告人Yカ三ケ月内ニ代金二百円ニテ本訴不動産ヲ上告人ニ売戻スヘキ約ヲ為シタルニ依リ期限内其代金ヲ提供シテ買戻ヲ求メタリト云フニ在ルコト終始同一ニシテ唯其契約ヲ始メハ買戻契約ト称シ後ニ再売買ノ予約ナリト改メタルモ這ハ何等事実関係ヲ変更シタルニアラスシテ畢竟法律上ノ見解ヲ改メタルニ過キサルモノナレハ原審ハ須ク上告人主張ノ如キ内容ヲ有スル契約カ当事者間ニ成立シタルヤ否ヤ及ヒ若シ成立ノ事実アラハ上告人カ其約旨ニ適当ナル行為ヲ為シタルヤ否ヤヲ審究シテ請求ノ当否ヲ判断セサル可カラサル筋合ナリ然ルニ原審カ上告人ニ於テ第一審以来買戻権ノ行使ニ因ル売買契約解除ノ事実ヲ以テ本訴ノ請求原因ト為シタルモノトシ従テ再売買ノ予約ナル旨ノ釈明ヲ以テ原因ノ変更ナリトシテ新訴ヲ却下シ売買契約ノ解除セラレサルコトノ理由ノ下ニ本訴請求ヲ失当ナリトシテ控訴ヲ棄却シタルハ不法」（大判大一〇・三・二四新聞一八三八・一八）（この大審院判決は、東京控判大六・二・二新聞一二三八・二四、長崎控判大九・一二・二五新聞一八一六・二一によって先行されている）。

これは、原告が誤った法的呼称を正しいそれに訂正した場合に該当するようにもみえる。しかし、他方において、本件での問題は、無名契約又は混合契約の法的構成の問題と質を同じくする問題であつて、この問題の解決は裁判所の職権に属すると考えられているようにもみえる。そうすると、この種の契約は、特定の典型の契約の法律要件に該当する事実を指導標としないで、その特定がなされえなければならない。それを可能ならしめる根拠は何か。売買の目的物の単一性ではないのか。

【107】　XのYに対する土地買戻履行請求の訴において、
「Xハ第一審ニ於テハ本件不動産ニ関シ買戻ノ特約アリタルコト並ニ買戻権行使ノ結果本件不動産カXニ復帰シタルコトヲ理由トシ買戻代金引換ニ土地所有権移転登記ノ手続ヲ為スコトヲYニ対シ求メタルコトハ……明カナリ然ルニXカ今当審ニ於テ述フル所ハ………担保物件ヲ売却シテ債務弁済ニ充ツル便宜上担保物件タル本件不動産ヲ一時Y銀行ノ所有ニ移シ置キ後日担保物件ノ一部売得金ニヨリテ債務完済トナリタル暁ニハ残存担保物件ハXニ復帰スヘキ旨ノ約束ヲ為シタルコト並ニ担保物件ノ一部カ売却サレ其売得金ニテ債務完済トナリタルコトヲ理由トシテ残存担保物即チ本件土地ノ所有権移転登記ノ手続ヲ求ムト云フニ在リテ斯ノ如キハ訴ノ原因ヲ変更スルモノト云ハサルヘカラス而シテ訴ノ原因ノ変更カ訴ノ変更ヲ生スルハ勿論ニシテ………」（東京控判大一〇・一一・五評論一〇民訴六五五）。

これと、前掲大判大一〇・三・二四【106】とは、どう関連するであろうか。【107】において、全く別個の約束が主張されたのではなく、単個の約束の内容が大幅に改変されて主張されたのであろう。しかし、このような場合には、前の主張と後の主張とでは、異る点が多すぎるがゆえに、かかる相異は請求の相異をひきおこすというのであろうか。それでは、しかし、どの程度相異点が少ければよいのか。

【108】　譲受債権に基く金銭請求において、譲受の主張を、取立委任のための信託的譲渡の主張に改めた場合、
「本訴ノ原因ハ原告カT銀行ヨリ本訴ノ債権ヲ譲受ケ之ニヨリテ債権者タル地位ヲ獲得シタルコトニ其基礎ヲ置クモノニシテ譲渡ナル意思表示ノ実質的態様ニ関スル法律上ノ見解ヲ変シテ………モ………本訴ノ原因ニ動揺ヲ来スコトナ」し（東京地判大五・三・二四評論五民訴三三五）。

請求の特定のためには、「譲渡」という最大公約数的事実で足りるというのであろうか。それならば、

売買か贈与（(一五)をみよ）かも「譲渡ナル意思表示ノ実質的態様ニ関スル法律上ノ見解」にすぎなくはないか。

【109】「被上告人ノ反訴ノ原因タル事実ハ本訴物件ハ被上告人ニ於テ単純ニ上告人ヨリ買受ケ其ノ所有権ノ移転ヲ受ケタルモノナリト云フニ在リテ右物件ノ売買カ売渡担保ノ目的ヲ以テ行ハレタルモノナルコトハ毫モ其ノ主張ナキ所ニシテ而シテ被上告人提出ノ乙第一号証ニ依ルモ本件売買カ売渡担保ノタメニ為サレタルモノナルコトハ毫モ之ヲ認ムヘキモノナキニ拘ラス原審カ本件売買ハ売渡担保ノ為ニ行ハレタルモノ……ト為シタルハ所論ノ如ク被上告人ノ主張セサル事実ヲ証拠ニ依ラスシテ認定シ之ヲ基礎トシテ係争事実ヲ確定シタル不法アリ……」（大判昭三・六・一五裁判例(二)民四六）。

「売渡担保ノ目的」の主張がないのに、その事実を認定するのは、弁論主義に反するであろう（それとも、担保の目的に該当する事実は間接事実にすぎないか、又、担保の目的でされたかどうかは契約の解釈の問題なのか）。しかし、右の事実の主張があったならば、別請求の追加になるのであろうか。それとも「売買」という最大公約数的事実に着眼し、訴訟物の特定のためには、右事実で足りるというのであろうか。

（一五）売買と贈与

【110】Sの妻Xが、Sの相続人$Y_1Y_2Y_3$に対し、Sの生前にSからXが買受け（甲第一号証の契約）た（と主張する）土地について、所有権の移転登記請求の訴を提起した。Xは控訴審で、売買の主張を贈与に変更した。これは「其基ク原因事実ヲ異ニスルヲ以テ訴ノ原因ニ変更アルモノト謂ハサルヘカラス」（「新訴ハ之ヲ却下ス」、長崎控判大九・一二・二新聞一八〇七・二一）。

契約は単一である。甲第一号証の記載により特定しているからである。それが売買か贈与かは、裁判所の職権に属する、意思解釈（本件では通謀で無効とされている）の問題又は法的構成の問題ではないのだろうか。そうではないとしても、請求の特定のためには、売買と贈与を区別するのに必要な事実までが、必要なのであろうか（なお四の(三)(1)(ホ)と対照せよ）。

（一六）　贈与の種類

【11】「本件当事者の事実上の主張、証拠の援用等口頭弁論の全趣旨によれば、被上告人は結局その抗弁事実の基礎を同じくし単にその態様を異にする死因贈与をも包含する広義の贈与なる正当権限に基き本件家屋を占有する旨主張したものと解される。従つて、原判決が被上告人は上告人先代直から単純贈与を受けたのでなく、直の死亡の暁にはその居住していた本件建物を被上告人に贈与することを約し……たと認定しても、原告が被上告人の主張しない架空の事実を認めたとはいえない」（最判昭二六・二・二二民集五・三・一〇六）（死因贈与に該当する事実は訴訟上現われていた—筆者註）。

主張が単純贈与で、認定された事実が死因贈与の場合に、死因贈与を基礎として裁判しうるというのであろう。死因贈与に該当する事実が主張され、これが単純贈与の呼称で主張されておれば、法的呼称の誤りに止まるであろう。単純贈与の事実もまた仮定的に主張され、それが単純贈与の呼称で主張されていたならばどうであろうか。死因贈与としては主張しない旨明示されないかぎり（前掲(三)をみよ）といわないで、死因贈与の認定が許されると考えているのではあるまいか。そうすると、訴訟物の特定という視点において、生前か死因かは「贈与」の態様にすぎないといいながら、又、重畳的か免責的かは「債務引受」の態様にすぎないかのようにいいながら（(一一)(99)）、純消費貸借か準消費貸借かは「消費貸借」の態様にすぎないと必ずしもいわないのはなぜか。

（一七）　運送の種類

【112】 貨物の滅失による損害の賠償を求めるX対Yの訴において、原告Xが荷受人として荷送人が被告Yに対して有する運送取扱契約に起因する権利を取得したとの事実を訴の原因とする以上、荷送人の権利が被告との直接運送取扱契約から発生したか、荷送人がY以外の運送業者と運送契約を締結し、同運送業者がYと荷送人のために相次運送取扱契約を締結したかは、「運送取扱契約ナル事実関係ノ同一性ノ認識ヲ阻却セサルヲ以テ訴ノ原因ノ変更ナシ」（東京地判大七・一・二一新聞一三九三・三〇）（同旨、東京地判大五・七・二〇評論五民訴三一八）。

【113】 損害賠償請求の訴において、「原告カ最初本訴ノ請求原因トシテ訴外F運送店ト被告会社トノ間ニ運送契約成立シタリト主張シタル後訴外F運送店ト訴外D運送店トノ間ニ運送契約成立シ右Dハ通シ運送状ニ代ルヘキ証書ヲ発行シ被告会社ハ右証書ト共ニ運送品ヲ受取リテ右運送契約ニ加入シテ相次運送契約ノ当事者ト為リタル旨主張シタルコト……明ナリト雖モ原告ノ請求原因トスルトコロハ被告会社ノ本件運送品ヲ目的トスル運送契約ニ基ク債務不履行ニアルコト始終変ラサルトコロナルカ故ニ右ノ如キハ請求ノ原因ヲ変更セスシテ単ニ事実上ノ申述ヲ補充シタルモノト謂フヘク……」（東京地判大一一・一一・一四評論一一商三三）（認定された事実はこうである。Xの先代（らしい）の委託に基き、FがDと運送契約をし、Dは被告会社に、荷受人X先代が、同会社支店に受取りに来るまで運送品を保管することを委託した）。

ここにおいても、訴訟物を特定する要素として、最大公約数的事実たる「運送契約」（に該当する事実）で足りるのか、直接か相次かを区別する事実も必要かの問題がある。【112】も【113】も前者であるようにみえないわけではない。ところで、運送取扱契約の同一性の認識を阻却するような事実の補充と、阻却しないような事実の補充とは、いかにして区別することができるのであろうか。

（一八） 船舶賃貸借と傭船

【114】 船舶賃貸借終了に基く賃貸借の仮登記抹消請求の訴において、その契約が賃貸借であるとの主張を傭船契約であるとの主張に改めることは、「契約ノ性質ニ関シ法律上ノ解釈ヲ異ニセルニ過キスシテ……請求

原因タル事実ノ変更シタルモノニアラ」ず（東京控判大六・七・四新聞一三一六・二九）。

船舶賃貸借契約か傭船契約かは、単一契約の性質の問題である、とするならば、売買契約か請負契約かもそうであるのか、又、売買契約か贈与契約かもそうであるのか。単一契約の性質の問題と（二個の）契約の種類の相異の問題とを、訴訟物の特定という視点に立つて、いかにして区別するのか。

（一九）　賃借権と地上権（二の(二)と対比せよ）

【115】　地代値上請求の訴において、借地関係につき、地上権との主張を賃借権の主張に改めることは、「借地関係ノ性質ニ関スル法律上ノ解釈ニシテ本件請求ノ原因ト関係ナキヲ以テ訴ノ原因ヲ変更シタルモノト謂フヲ得ス」（東京地判大七・八・一二新聞一四六三・二二）（本件では、「成立に争なき甲第三号証に依れば本件借地関係は賃借権なることを認むべく」とされている）。

地上権か賃借権かは、単一の法律関係の性質の問題なのか、それとも、二個の法律関係の種類の相異の問題なのか。前者であるとするならば、確認の訴においても、同様の考え方が貫かれうるのか。本件では、変更された呼称が認定された事実を称するのにたまたま適当であつたのである。

【116】　XのYに対する地所明渡請求の訴において、

「原判文ニ引用シタル第一審判決中X陳述ノ部ヲ見ルニ「Xハ云々Yニ対シ本件係争地所ヲ一ケ月金二円十二銭五厘ニテ入用ノ節ハ三ケ月以内ニ明渡スヘキ約ニテ賃貸シタル処Xハ解約ノ為メ」云々トアルニ依リX請求ノ原因ハ上告論旨ノ如ク賃貸借ニアリテ地上権ニアラサルコト明カナリ而シテ賃貸借ト地上権トハ全ク其法律関係ノ性質ヲ異ニスルカ故ニ控訴審ニ於テハ賃貸借ヲ変シテ地上権ト為スハ訴ノ変更ニ属シ許スヘカラサルモノタリ」（大判明三四・一一・二五民録七・一〇・八六）。

右判決のいうように、案件において、賃貸借であることが明らかであろうか。「賃貸」が法的呼称の誤りでないことは、この「陳述」からは明らかでない。そうすると、「賃貸」という呼称だけで賃貸借の主張と把握していることになる。又、本件では、どうも、主張された事実関係は、単一である。それだのに、単一権利の性質の問題と考えないで、性質を異にする権利の主張は数個の権利の主張であるという前提に立つている。ここでは主張された権利とその名の権利でよばれた事実との関係が十分に考慮されないで、呼称が異れば、請求も異る、と考えているようにみえる。

【117】 XのYに対する土地明渡請求の訴において、Xは「係争地ハ元前所有者トY間ニ借地契約アリシモ其借地期限ハ已ニ経過シ……」と第一審で主張し、第二審では、これに附加して「尚ホ数歩ヲ譲リYハ其権利ヲ喪失スルコトナク明治三十三年法律七二号ニ依リ地上権者ト推定セラルルモノトスルモ……地料ヲ支払ハス……此時ニ於テ該地上権ハ全ク消滅ニ帰シタルモノナリ」と主張した。これは「新ナル原因ニ基ク拡張事実ヲ提出セシモノナルニ原院ハ此攻撃方法ヲ認用シ其判決理由ノ前提ニ於テ「Yハ係争地上ニ永代借地権ヲ主張スルモ云々其権利ノ永代借地権ニアラサルコト論ヲ俟タス然レトモ右Z第一号証ニハ云々記載アルヲ視レハ即チ其権利ノ実質ハ地上権ナリト認ムルヲ相当トス」ト判示シ本件当事者間ノ関係ハ地上権ニ係ル事実ヲ認メ」地料不払に基く明渡を認めたのは違法(大判明三七・一〇・一九民録一〇・一二七一)。

本件は、借地権という性質のある利用権が地上権という性質に変じたと法的に構成される場合を予備的に考慮したのであつて、借地権とか地上権とかに性質づけられる対象としての権利は唯一でありそれは発生原因を同じくし目的物を同じくするからである。

【118】 地上権確認請求の訴において、

「上告人が、その主張の土地に対して有すると主張した利用権が地上権であることは、第一審以来主張して変らないところである。土地を使用する権利が、地上権であるか、賃借権であるか、将又使用貸借上の権利であるかは、権利を特定する為に、当事者がこれを明確に主張する必要がある。ことに地上権であれば物権であり、賃借権であれば債権であつて権利の内容も著しく異るものであるから、その両者は全然別異な権利である。それ故、裁判所としては上告人が明確に地上権を主張している場合である本件では、その地上権の有無のみを判断すれば十分である。この場合当事者に対し、その主張する権利が或は賃借権又は使用権ではないのか……などを釈明する義務はない。」（東京高判昭二八・三・三〇民集六・三・一〇〇）。

しかし、利用権に基き発生する請求権によつて理由づけられる請求（請求権の主張たる請求といつてもよい）の場合にも同様であろうか。

（二〇）　否認と取戻

【119】　S銀行に対する債権差押事件にYは配当要求をし、その後大正一二年四月S銀行が破産宣告を受けたのにもかかわらず、大正一三年四月配当金を受領したので、破産管財人Xが右配当金の返還を求める訴において、Xが否認権を行使すると主張しても、右請求は「破産法第五十四条ニ所謂破産宣告後破産者ノ法律行為ニ因ラスシテ取得シタル権利ナルコトヲ主張シテ該金額ノ取戻ヲ請求スルニ外ナラサルモノト謂フヘシ」であるから、「原院カXハ破産法第五十四条ノ事実関係ヲ主張スルモノト認メ其ノ請求ヲ認容シタルハ申立テサル事物ヲ当事者ニ帰シタル不法アルモノニ非ス」（大判大一四・一〇・一五民集四・五一二）。

原告の主張する事実に原告が正しい法的呼称を与えなかつた場合である。

（二一）　そ　の　他

(1)　法的呼称は、適用される法規との関連においてなされる。そこで、法的呼称の誤りは適用条文の指摘の誤りとしてしばしば現われる。従つて、そのかぎりで、法的呼称の相異の問題か否かは、適用条文の指摘の相異の問題か否か、という形で現われる。

【120】「原告ノ本訴請求ノ原因ハ其訴状ノ記載並ニ口頭弁論ノ釈明ノ結果ニ依レハ原告カ被告ヨリ賃借セル地内ニ被告カ不法ニ地揚ケヲ為シ其上ニ家屋ヲ建設シ原告ヲシテ賃借地ノ使用収益ヲ完全ニ為サシメサルヲ以テ契約不履行ヲ原因トシテ損害ノ賠償ヲ求ムト謂フニ在リテ賃貸人カ民法第六百一条ニ依リ賃借人ヲシテ賃貸物ノ使用収益ヲ為サシム可キ義務ヲ履行セサリシモノナリト言フニ帰着シ原告ノ挙示スル法条ハ其法律上ノ見解ヲ誤リタルニ過キスシテ裁判所ハ之ニ羈束セラレテ判断セサル可カラサルモノニ非」ず（大阪地判明四四（ワ）四八、裁判年月日不明、新聞七五五・二三）。

【121】「Xハ原審ニ於テS銀行ハ………支払ヲ停止シ………第一審被告Y_1先代ヨリ破産ノ申立ヲ受ケ………破産ノ宣告ヲ受ケタル者ナル処SハY_1ヲシテ破産ノ申立ヲ取下ケシムル為メY_2ニ対シ金五百円ヲ贈与シタリト陳述シタルコト………明ニシテ………原院カ………該行為ハ同法（破産法──筆者註）第七十二条第五号ニ該当スルモノト判断シXカ同法第七十二条第一号ニ該当スル行為ナリト陳述シタルハ訴訟代理人ノ法律上ノ意見ニ過キサルモノトシテ之ヲ採用セス従テ前示ノ行為カ同条第一号ニ該当スルヤ否ニ付判断ヲ為ササリシハ不法ニ非ス」（大判昭一〇・三・一四、新聞三八二七・一一）。

【122】銀行の専務取締役の行金横領により蒙つた損害の賠償を、預金者が取締役及び監査役に対して求める訴において、初め商法一七七条に基く旨を主張し、後に商法一七七条第二項に基く旨陳述しても、「元ヨリ其請求原因タル事実ニ変更ヲ来スコトナク単ニ法律上ノ見解ノ補正タルニ過キサルモノ………」（京都地判大一四・二・二七新聞二三八九・五）（【275】と比べよ）。

商法一七七条　取締役カ其任務ヲ怠リタルトキハ其取締役ハ会社ニ対シ連帯シテ損害賠償ノ責ニ任ス

取締役カ法令又ハ定款ニ反スル行為ヲ為シタルトキハ株主総会ノ決議ニ依リタル場合ト雖モ其取締役ハ第三者ニ対シ連帯シテ損害賠償ノ責ニ任ス

【123】 担保物返還請求の訴において、「被告ハ原告カ本訴ニ於テ大和無尽合資会社ノ権利証書ノ交付ヲ以テ或ハ旧商法第九百九十条ニ所謂従来負担シタル債務ノ為メ新ニ供スル担保ナリト云ヒ或ハ同条ニ所謂代物弁済ナリト陳述スルニ対シ本訴訟請求原因ハ不定ナリト主張スレトモアル事実カ新ニ供スル担保ナリヤ代物弁済ナリヤハ該事実ニ対スル法律上ノ判断意見ニシテ事実其モノニ非ス而シテ訴ノ原因トシテハ一定ノ事実ヲ主張スルコトヲ要スレトモ之ニ対スル法律上ノ一定セル意見ヲ主張スルコトヲ要スルモノニ非」ず(東京地判大一二・二・九新聞二二一一・七)。

【124】 XのYに対する保証債務履行請求の訴において、

「Xは明治四十一年一月十八日Sに金八百円を貸与するに当り同人振出の額面八百円の小切手を受取りYは該小切手不渡の節はSの右消費貸借による債務を引受け之が支払の責に任ずべく約定したるに該小切手は遂に不渡に終りSは右債務の履行を為さざるを以てYに対して約旨に基き債務の履行を要求すと云ふに在りて請求すべき権利の基礎事実を明確に表示し毫も間然する所なきに依りXが始め……特に保証債務なる名称を付して之を主張したるに後の口頭弁論に至りて保証なる法律上の名称を撤回したるは単に権利関係の名称を主張することを避けたるものに外ならざれば訴の原因を変更するものに非ざるや勿論なり」(大阪地判明四一新聞五五二・一四)。

【125】 保証債務不存在確認の訴において、保証の無効の主張に保証の不成立の主張を附加しても、それは、「当初ヨリ係争保証ノ存在ヲ争フモノニシテ初メ無効ト称シ後ニ不成立ト云フモ右ハ単ニ陳述ノ形式ニ於テ用語ノ注意ニ周到ヲ欠キタルニ止マリ……請求ノ原因ヲ変更シタルモノ」ではない(大判昭六・五・四新聞三二七二・一一)(同旨、東京控判大一一・一一・八新聞二〇九二・一九)。

【126】 XのY税務署に対する損害賠償請求の訴において、「XはMの為め同人の明治卅六酒造年度の酒造税金に対しては自己所有不動産上に抵当権を設定するの承諾を為したることなきに付之が登記抹消を求めたるにYは訴訟の進行中該物件を公売に付し去りたるを以て……之が賠償を求むと云ふにありしこと……明

白なりとす。………故にXが請求の基因とせる事実は一審二審を通じ前後同一なりとせざるべからず唯異なれるは原審に於けるXは登記抹消に代へて賠償を求めたるは当該官吏の不法行為に基く請求なりとせるに反し当審に於けるXは之を以て所有権に基く請求なりとせるに在るのみ然れども………是れ単にXが法律上の意見を表示するに過ぎずと云ふべし左すれば………訴の原因に変更ありとするを得」ず（長崎控判明四一・二・二五新聞四八七・七）。

(2)　なお、最判昭三四・九・二二（五の270【（八）】）をみよ。

三　法的効果の単一

ある事実を原因としてある請求権の発生を認めるためには、その事実がある法律要件に該当するという判断が必要である。ところで、数個の（二者択一の関係にある、又はない）事実が主張され、そのそれぞれが異る細目的（複合的）法律要件（最大公約数的でない）に該当するけれども、法律要件相互の関係上、一個の法的効果しか発生しないと考えられる場合がある（一個の法規の内部的問題といってもよい場合もある）。このような場合でも、その数個の事実は、訴訟物を特定する要素として、訴訟物を数個の別異のものたらしめるであろうか。

（一）　履行行為

【127】　株式定期取引における手仕舞の結果生じた損失金を受託者が委託者に請求する訴において、被告の委託に基いて手仕舞したとの主張を、被告が追証拠金を納入しないため慣習に従って手仕舞したとの主張に改めても、訴の原因の変更でない（東京地判大一〇・三・一一新聞一八二五・一〇）。

手仕舞という履行行為をなしうる条件に該当する事実として数個の異る事実（委託と慣習）が主張されても、それが二者択一という関係にあるかぎり、手仕舞を原因とする請求を複数たらしめるものではない。従って、一を他に変更することは請求の変更を結果しない。手仕舞行為は一回しかなかったのである。

（二）　債務不履行

【128】　債務不履行中に債務が履行不能になったことを原因とする損害賠償の訴において、債務不履行の主張を履行不能の主張に改めることは、「本件契約ノ履行ヲ受ケサルカ為……生シタル損害ノ賠償ヲ求ムト云フ」ことにおいて「終始異ナル所」がないから、訴の原因の変更でない（東京控判大一一・六・二八新聞二一三八・一八）。

右事案の場合に、「訴ノ原因」の変更ではないという。請求の変更にもならない、との趣旨であるかどうかは、判旨だけからは判明しない。おそらく、そういう趣旨であろう。履行不能は、債務不履行に包含されるからであろう。

（三）　解　除（四(三)(1)(ト)と対照せよ）

(1)　解除を原因とする請求において、解除をなしうる条件に該当する事実の相異は、請求を別異のものたらしめるであろうか。

【129】　契約解除を原因とする前渡金返還損害賠償請求の訴において、契約上の解除権の行使、民法五四一条の解除権の行使、民法五四三条の解除権の行使、商法二八七条(旧)の解除の擬制、を主張することは、請求の原因の一定を欠く、という主張に対し、「一個ノ請求ニ付テ必スシモ数個ノ法律関係ヲ主張シ得サル旨趣ニ非ス……契約解除ノ効力ヲ生スヘキ三箇ノ独立シタル法律関係ヲ主張シタリトスルモ第二第三主張事実ハ順次予備的ニ陳述シタルモノニシテ互ニ抵触スルモノニアラサルカ故ニ」請求の原因は一定であり、「被上告人ハ本訴ノ売買契約ヲ第一審ニ於テハ定期履行ノ売買トナシ上告人ノ不履行ニ因リ契約ノ目的ヲ達セサレハ商法第二百八十七条ニ依リ当然解除セラレタリト主張シ第二審ニ於テハ本訴売買ノ目的物ハ特定物ニシテ上告人ノ責ニ帰スヘキ事由ニ依リ履行不能トナリタレハ本訴提起ニ依リ之ヲ解除スル旨主張スルモ等シク契約解除ヲ

原因トシテ本訴請求ヲナスモノナレハ之ヲ以テ原因ヲ変更シタルモノト云フヲ得ス」（大判大一〇・一一・一〇民録二七・一九五一）。「訴ノ原因」の変更ではないという。さらに、請求の変更でもないというのでもあろう。

【130】買主の売買契約の解除を原因とする手附金残額返還の訴において、解除について、民法五六三条二項によるとの主張を民法五六一条によるとの主張に改めても、請求の原因の変更ではない（大阪地判昭三・五・二八新聞二八六九・一二）。

ところが、予め特約で解除をなしうる場合を定めていた場合については、戦前には、反対の判例があった。

【131】家屋明渡請求において、民法五四一条による解除の主張に、当事者間の特約に基く解除の主張を追加するのは、右二個の解除は「全然別個ノ法律事実ニ属シ被控訴人カ斯ル事実ヲ主張スルハ訴ノ原因ヲ変更スルモノ……」（東京地判明四五・七・二四新聞八一二・一九）。

【132】土地明渡及び賃料支払請求の訴において、「曩ニナシタル原告ノ訴ハ本訴土地ヲ原告カ被告ニ賃貸スル際若シ賃料支払ヲ一ケ月怠リタルトキハ直ニ解約シ得ヘキ特約アリタルニヨリ該特約ニ基キ賃貸借ヲ解除シタルコトヲ原因トセシコトハ当事者間ニ争ナキ所ナリ然ルニ本訴ハ斯ル特約ニ因ル解除ヲ原因トスルモノニ非スシテ被告カ賃料ノ支払ヲ怠リタルカタメ之レカ履行ノ催告ヲナシタルモ尚ホ履行セサルニヨリ之レカ解約ヲ為シタルコトヲ原因トスルモノニシテ…………其原因ヲ異ニセルモノト謂ハサル可カラス然ラハ之ヲ同一ノ訴ト称シ難キニヨリ……」権利拘束の抗弁は却下（東京地判大三・一一・二八新聞九二六・二三）。

しかし、戦後には、前記大審院判決と同じ考え方をする判例がある。

【133】「土地明渡請求訴訟において、土地の賃料支払の催告にもかかわらず滞納しているので契約を解除すると主張し、控訴審で予備的に、延滞賃料を一定日までに支払わないときは賃貸借は当然に解除となるとの合

意があり、かつ、右一定日までに支払われなかつたと主張した場合、これらは攻撃方法である」（東京高判昭二八・一〇・八判決時報四五民一四九）。

解除をなしうる場合又は解除となる場合に該当する事実の主張は、攻撃方法である、との考え方は、かかる事実の主張の相異は請求を異ならしめるものではないという考え方である。請求の特定のための要素としては、解除される契約（の特定）で足り、解除の原因事実は、必要でない、というのであろう。

(2)　爾後に、解除の合意が成立したことをも主張する場合はどうか。

【134】　売買契約を解除し代金の返還を求める訴において、債務不履行に基く解除の主張に対し、契約違背はないと認めながら合意解除を認めて請求を認容するのは「本訴請求ノ原因トシテ主張セサル事実ニ基キ上告人敗訴ノ判決ヲ為シタル違法ノモノナリ」（大判大一一・六・一五新聞二〇三九・二七）。

【135】　XのYに対する前貸金請求の訴において、「被告ノ義務不履行ニ因ル契約解除ト当事者ノ合意ニ基ク契約解除トハ其一ヲ是認スレハ他ハ否認スヘク互ニ両立スヘカラサル事実ナルヲ以テ結局何レヲ請求原因トナスカ不確定ナリト認メサルヲ得ス果シテ然ラハ本訴ハ請求原因一定セサル者」で不適法（川越区判大一四・一・二五新聞二三七八・一五）（Yはその二女TをX方で機業に従事させる契約をし、XからTの給金を前借した。Tは無断家出。そこでXは大正一二年九月一二日契約解除の意思表示をした。かりにそうでないとしても、大正一一年七月一〇日（家出の日）XYは合意の上契約を解除した、とXは主張した。）。

【136】　「売買契約ノ合意解除ニ基ク代金ノ返還請求権ト履行不能ヲ原因トスル契約解除ニ基ク代金ノ返還請求権トハ其ノ権利ノ発生事実ヲ異ニスルカ故ニ各々ノ訴ハ二者其ノ訴訟物ヲ異ニスルモノト謂フヘシ」（朝鮮高判昭一〇・七・二六評論二五民訴一一二）。

解除の合意の事実が裁判所に現われていてもなおこれを理由として請求を認容することは許されないとするならば、解除が法律の規定に基く場合と合意に基く場合とでは請求を異にするということになろう。その根拠はなにか。

【137】 売買契約の解除を理由として前渡金の返還を求める訴において、

「原審における上告人の請求は、要するに、上告人が本件売買契約につき民法五四一条による解除をしたことを主張し、被上告人等に対し、右解除に基く民法五四五条の原状回復義務の履行を求めるものであつたところ、原審は右解除の主張を認容しなかつたのであるから、これに基く上告人の請求が排除されたのは当然である。尤も、原審が、右売買契約について合意解除のなされた事実を認定したことは所論のとおりであるけれども、本件のように、契約の一部履行があつた後、合意解約がなされた場合には、民法七〇三条以下による不当利得返還義務の発生するのは格別、当然には民法五四五条所定の原状回復義務が発生するものではない。しかも原審において上告人は前記合意解除の事実を否認しており右合意解除に基く不当利得の返還を請求しなかつたこと記録上明白であるから、原判決が所論前渡代金につき不当利得の返還を命じなかつたのは当然である」（最判昭三二・一二・二四民集一一・一四・二三二二）。

法定解除と合意解除とは、法的効果を異にするからである、というのである。金銭を返還する義務が民法五四五条に基くか民法七〇三条に基くかは、裁判所の職権で判断すべきことではないというのであろうか。また、もし原告が合意解除をも主張していたならば、裁判所は、請求の併合として扱つたであろうか、攻撃方法の併合として扱つたであろうか。

このように、解除の原因が、予め法規において定められている場合、又は、予め契約において定められている場合には、解除に基く請求を特定する要素としては、「特定の契約」の「解除」（解除という、いわば最大公約数的事実）で足りるけれども、爾後的な解約の合意は、これとは別扱いされているわけである。しかし、

【138】 XのYに対する借地権確認建物収去土地明渡請求の訴において、YはXが賃借権を放棄したと主張するが、証拠により認められる事実からは賃貸借の合意解除が認められる場合、Yの主張は、「本件賃貸借がXの意思に基いて終了したことを主張する趣旨であつて、賃貸借の終了が賃借権の抛棄によるか、はた、合意解除によるかはその意とするところにあらざるものと解するから合意解除による終了の事実を認めても違法ではない」（東京高判昭二五・五・一七下級民集一・五・七四六）。

つまり、放棄の事実も合意解除の事実も、当事者の意思に基く法律関係の終了の事実という最大公約数的事実に括られ、請求の特定のための要素としては後者で足り、放棄と合意解除を区別するのに必要な事実は必要でない、というわけである。

（四）　退　社（四（一）と比べよ）

【139】「……請求ノ原因トハ実体法ニ従ヒ請求ヲ生セシムルニ適スル具体的事実ヲ謂フモノ……今之ヲ合資会社ノ社員ノ退社ニ因ル持分払戻ノ請求ニ付テ論センカ単ニ退社ト云フノミニテハ……未タ請求原因ヲ完全ニ表示シタルモノト為スニ足ラス退社ニハ予告、除名等ノ事由アルカ故ニ当該事由ニ従ヒ具体的ニ退社ノ事実ヲ表示シ之ヲ特定スルヲ要ス退社ノ事由カ予告ナルモ除名ナルモ法律上ノ観念ニ於テハ均シク退社ナリト雖モ具体的事実トシテハ相異ナルヲ以テ彼ヲ原因トスルト此ヲ原因トスルトハ請求原因ヲ異ニシテ従テ其請求同一ナリト謂フ可カラス均シク予告ニ因ル退社ナルモ前後二回予告ヲ為シタルノ事実アリテ前ノ予告ニ因ル退社ヲ原因トスルト後ノ予告ニ因ル退社ヲ原因トスルトハ請求ノ原因ヲ異ニスルモノト謂フ可シ何トナレハ持分ハ退社当時ニ於ケル会社財産ノ状態ニ従ヒ払戻スヘキモノナレハ退社ノ時期ニ従ヒ持分ノ価値一ナラス……彼此其目的ヲ異ニスルモノト謂フヘク……故ニ訴状ニ於テハ後ノ予告ニ因ル退社ヲ請求原因ト為シタルニ口頭弁論ニ於テ之ヲ変更シ前ノ予告ニ因ル退社ヲ請求ノ原因ト為セハ是レ明ニ請求原因ヲ変更シタルモ

ノナリ……持分ハ之ヲ二重ニ請求スルヲ得サルニ依リ前ノ予告ニ因ル退社ヲ原因トスル訴ト後ノ予告ニ因ル退社ヲ原因トスル訴トヲ同時ニ提起スルカ如キハ実際ニ於テ殆ント生スルコト無カルヘシ偶々之アリトスルモ請求原因ノ異ナルコト前示ノ如クナル以上ハ権利拘束ノ抗弁ヲ提出スルコトヲ得サルヤ明ナリ唯此場合ニ於テハ一ノ訴ニ於テ勝訴ノ判決ヲ得レハ他ノ訴ハ理由ナキニ帰スルヲ以テ一ノ訴ノ完結スル迄他ノ訴ノ手続ヲ中止スルヲ適当トスルノミ……被上告人ハ上告人合資会社Fノ社員ニシテ明治三十五年十二月二十七日ト明治三十七年十二月二十七日ノ両度ニ退社ノ予告ヲ為シ前訴ニ於テハ後ノ予告ニ因リ退社シタルコトヲ原因トシテ持分ノ払戻ヲ請求シタルニ其予告ハ法律上何等ノ効力ヲ生セストノ理由ニ依リ其請求ヲ却下セラレ本訴ハ前ノ予告ニ因ル退社ヲ原因トシテ持分ノ払戻ヲ請求スルモノナレハ前訴ト本訴トハ請求ノ原因ヲ異ニシ前訴判決ノ既判力カ本訴ニ及ハ」ず（大判大四・五・二八民録二一・八二四）。

【140】　合資会社との間に社員たる法律関係を有しないことの確認を求める訴において、退社の事由に関する主張を変更するのは、

「(一審一定申立ニ退社ノ時期ヲ示シタルハ事実ヲ明カニシタルニ止マルモノト認ム) 訴ノ原因タルヘキ者ハ……退社其者ニシテ如何ナル事由ニ基キ退社シタリヤヲ示ス事実ノ如キハ……一ノ攻撃方法トシテ……主張スルヲ妨ケサル所ナリト解スヘ」きであるから、「所謂事実上ノ申述ノ補充ニ該当シ……新ナル請求ヲ為シタルニモアラス」（大阪控判大五・九・一一新聞一一六八・三一）（大正四・二・一〇に退社の意思表示をし、大正五・六・一二に家資分散の宣告を受け、家資分散を控訴審で附加主張した事案）。

持分払戻請求を理由あらしめる退社と、社員関係不存在確認請求を理由あらしめる退社とで、その扱いを異にするのは、どんな理由に基くのであろうか。持分払戻請求の場合には、「退社ノ時期ニ従ヒ持分ノ価値一ナラス」であるからという。しかし、事実審口頭弁論終結の時を基準として、その時点において、どれだけの持分の払戻が認容されるかを、判断すれば足りるのではなかろうか。退社の

時期は、その数量の算定にのみ影響するのではなかろうか。

(五)　手形の裏書譲渡

【141】　手形金請求の訴において、手形取得の原因の主張について、裏書譲渡に、白地式なる旨を附加えたり(東京控判大六・一二・二六新聞一三六四・二七)、手形の裏書譲渡による取得後取立委任の裏書をなし更に逆裏書を受けたことを、取立委任前の裏書譲渡だけに変えたり(東京地判大八・一一・一一評論八民訴五一七)、裏書譲渡に、その裏書譲渡の動機を附加えたり(東京地判大八・一一・一七評論八商六七二)しても、これらは訴の原因たる事実ではないから、事実上の陳述の更正にすぎない。

(六)　無　効(六の(一)と比べてみよ)

【142】　遺言無効確認請求の訴において、

「右遺言書ハ偽造ナリトノ主張ト仮ニ偽造ニ非ストスルモ法律上ノ方式ニ適合セストノ主張ハ毫モ相容レサル事実上ノ主張ニ非ス然レハ………本件訴ノ原因ハ不定ナルモノニ非ス………」(大判大七・四・一八民録二四・七二二)。

無効であるかどうかが問題とされているところのもの(遺言)が単一である。この単一性が、無効確認請求の単一性をもたらしているのではあるまいか。

【143】　「株金払込決議無効を原因とする株主権確認請求の訴において、第一審で取締役の過半数の議決によらなかつたと主張し、第二審で、取締役に取締役会議の目的事項を通知しなかつたと主張した場合、かかる無効の原因たる事実の主張の附加は訴の原因の変更ではない」(東京控判大九・一一・二四評論九商八一六・)(原告は株金払込をしなかつたので、株主権喪失の通知をうけた)。

株主権確認請求は、株主権が特定されれば、特定するので、株金払込決議の無効の原因は、株主権の特定とは無関係であるからであろう。

四　適用法規の複数

ある事実を原因としてある請求権の発生を認めるためには、その事実がある法律要件に該当するという判断が必要である。ところで、数個の（二者択一の関係にある、又はない）事実が主張され、そのそれぞれが種類の異る法律要件に該当し、その結果、異る法的効果がそれぞれ発生すると考えられるけれども、他方において、重複した給付は許されないと考えられる場合がある。このような場合、給付の一回性にもかかわらず、請求の複数性が認められるのか。数個の、同種の、しかし別異の、事実が主張され、そのそれぞれが、同種の法律要件に該当する場合もここでとりあげる。

本節の問題と前節の問題は、比較しつつ、考究することが必要である。

（一）同種の別個の行為

【144】 報酬及び損害金請求の訴において、原告に報酬を与える決議が、創立総会でなされたとの主張に、第一回株主総会でもなされたとの主張を附加した場合、

「此二箇ノ総会ハ其組織及性質ニ於テ相異ルモノアリト雖モ其総会ノ決議カ被上告会社ノ為メニ効力ヲ生スル点ニ於テハ二者同一ナリ故ニ上告人カ第一審ニ於テ報酬請求権ノ基本タル事実トシテ主張シタル所ノモノハ被上告会社ノ為メニ効力ヲ生スヘキ総会ノ決議其者ニシテ原審ニ至リ第一回株主総会ノ決議ヲモ併セテ主張シタルハ訴ノ原因ヲ変更セスシテ単ニ事実上ノ申述ヲ補充シタルモノト認ムルコトヲ得」（大判明四四・一〇・四民録一七・五二九）（同類、東京控判大一一・五・三〇評論一一民訴一八〇）。

これは、退社を原因とする請求（前述三の四）と比較する必要がある。ここでは、要するに一個の報酬が要求されている。そこで、総会決議の複数は、報酬請求を複数たらしめないと考えられている。同一内容の総会決議は重複して成立しうる。同一人の退社は重複してはありえない。にもかかわらず、持分

払戻請求が退社の主張の複数によって複数たらしめられるのは、なにゆえにであろうか。

（二）　併存しうる別種の数事実

【145】　約束手形金請求の訴において、

「民事訴訟法第百九十条第二項第二号ニ於テ訴状ノ要件トシテ請求ノ一定ノ原因ヲ記載セシムルコトヲ規定シタルハ原告ノ主張スル請求権ノ因テ生スル特定ノ法律関係ヲ他ノ法律関係ト区別スルコトヲ得ルカ如ク明瞭ニ記載スルコトヲ要スルノ意ニシテ一箇ノ請求ニ付キテハ必ラス唯一箇ノ法律関係ノミヲ記載スルコトヲ要シ二個ノ法律関係ヲ記載スルコトヲ得サルノ意ニ非ス而シテ普通ノ場合ニ於テハ一箇ノ請求権ノ原因タル法律関係ハ唯一箇ナルヘキモ特別ノ場合ニ於テハ一箇ノ請求権ニ付数個独立ノ原因ノ存在スルコトナキニ非ス例ヘハ民法第八百十三条ニ規定スル離婚ノ原因ノ如キ同時ニ二箇以上ノ独立ノ原因ノ並存スル場合ナキニ非ス斯ノ如キ場合ニ於テハ原告ハ二箇以上ノ原因ヲ主張シ一箇ノ離婚請求ヲ為スコトヲ妨ケス人事訴訟手続法第八条ノ規定……ナシトスルモ原告カ訴状ニ離婚ノ二箇以上ノ原因ヲ記載シ之ニ基テ唯一箇ノ離婚ノ請求ヲ為スモ之ヲ以テ不適法ノ訴ト為スコトヲ得サルヤ勿論ナリ契約若クハ不法行為ニ因リ請求ヲ為スト云フカ如ク相并立スルコトヲ得サル二箇ノ原因ヲ主張シ甲ノ法律関係ニ非サレハ乙ノ法律関係ニ因リ請求ヲ為ス訴ハ本院判例ノ屢々示スカ如ク請求ノ一定ノ原因ヲ欠如スル不適法ノ訴ナリト雖モ苟モ一定シタル請求ノ原因タル以上ハ仮令二箇以上ノ原因ヲ主張スルモ其并立シテ相妨ケサルトキハ之ヲ以テ不適法ノ訴ト為スヘキモノニ非ス而シテ本件ニ於テ上告人カ其請求ノ原因トシテ主張スル事実ハ被上告人ニ於テ上告人ノ所持スル約束手形ノ裏書人ニシテ且保証人トシテ署名シタルモノナレハ裏書譲渡人トシテモ保証債務者トシテモ本件ノ請求ニ応スヘキ義務ヲ負フモノナリト云フニ在ルヲ以テ請求ノ原因ノ一定セサルモノニ非スシテ一箇ノ請求ニ付キ二箇ノ一定ノ原因ヲ主張シタルモノナリ」（大判明三八・四・二二民録一一・五五八）（振出人に手形を呈示して支払を求めたが応じなかつたので、裏書譲渡人に償還請求をした事件）。

裏書人としての（償還）義務と保証人としての義務は、実体法上は、全く別のものである。こういう場合、判例は、一般に別請求と考える傾向にある。では、なぜ、本判決において、裏書人としてかつ保証人としての義務の履行を求める請求が、「一箇ノ請求」として把えられたのであろうか。重複した給付が認められない場合であるからであろう。しかし、それは、支払わるべき金銭が単一特定のものとして考えられうるからではあるまいか。数事実が併立しうるか併立しえないかは、どういう意味で、訴訟物の特定と、関連を有するのであろうか。

【146】 同一手形に関し、「手形ノ裏書ニ因ル義務ト手形ノ保証ニ因ル義務トハ法律上ノ原因ヲ異ニスルヲ以テ前ニ裏書ニ因ル義務ヲ原因トシテ請求シ後ニ保証ニ因ル義務ヲ附加シ請求スルハ訴ノ原因ヲ変更シタルモノ……保証ニ因ル義務ヲ原因トスル新訴ハ不適法……」（松本区判大一二(ハ)七五七、裁判年月日不明、新聞二二九六・二一）。

この考え方のほうが、むしろ判例の一般的な傾向である。「法律上ノ原因ヲ異ニスル」点に着目しているのである。

【147】 売買の目的物に瑕疵あることを原因とする損害賠償の訴において、瑕疵による損害担保の特約の主張に、法律上の瑕疵担保責任の主張を追加するのは、「単ニ事実上ノ申述ヲ補充シタルモノ……」（東京控判大一二・三・二八新聞二一六六・一二）。

賠償請求権の発生原因たる要件事実は重複するけれども、発生する請求権は単一のものと把えるべき場合であるからであろう。でも、なぜそのように把えるべきなのか。目的物が単一特定であり、従つてその瑕疵による損害が単一特定であるからではないであろうか（【131】【132】【133】と比べよ）。

【148】 AのYに対する不法行為に因る損害賠償請求権をXが行使する訴において、右請求権をAから譲受けたとの主張を、XがAに保険金を支払つたので、商法四一六条により法律上当然に取得したとの主張に改

めることは、「損害賠償請求権ハ即チ前後ノ主張ヲ通シ全然同一ナルコト明ナルニヨリテ之ヲ知レハ……請求原因ノ同一性ハ尚之ヲ失ハサルモノ……」(横浜地判昭九・八・四新聞三七四五・七)。

【148】は【147】と同じ型の場合として考えてよいであろう。損害賠償請求権(＝法的効果)の同一に着目している。

【149】 一個の債権を二回に譲受け、第一審で第一回の分を請求し、第二審で残部を附加請求した場合、「……若シ被控訴人ノ附帯控訴ヲ以テ為ス請求ニシテ被控訴人カNヨリ同人ノ控訴人ニ対スル売掛金債権ノ全部ヲ譲受ケ原審ニ於テ其一部ヲ請求シ当審ニ於テ其残部ノ弁済ヲ求ムルモノナリトセハ民事訴訟法第四百十六条ニ依リ之ヲ許スヘキモノナレトモ被控訴人ノ請求ハ右ニ異ナリ被控訴人ハ大正六年二月八日前記ノ債権ノ一部ヲ譲受ケ次テ同年十月十二日其残部ナル七十五円ノ債権ヲ譲受ケ其弁済ヲ請求スルモノナルコト…明カナリ然レハ被控訴人ノ譲受ケタル各債権ハ元来一個ノ債権ナレトモ被控訴人ハ……日時ヲ異ニシテ二回ニ之ヲ譲受ケタルモノナルヲ以テ被控訴人ノ権利取得ノ原因ハ二個ナリト謂ハサルヘカラス而シテ権利取得ノ原因ハ訴ノ原因ノ主要ナル事実ヲナスモノナレハ被控訴人ノ当審ニ於テ為シタル右請求ハ単ニ申立ヲ拡張シタルモノニアラスシテ新原因ニ基ク別個ノ訴ヲ附加シタルモノト認ムヘク」不適法(神戸地判大七・四・六新聞一三九三・三〇同旨、大阪地判大五・一二・二三新聞一二一七・二一)。

譲受という直接原因事実(請求権発生のための直接要件事実)が二個であることが、給付の目的物を二個にしたから、訴が別個になる、というのであろう。具体的要件事実に着目しているのである。

(三) 現実には同時に併存しえない数個の事実

(1) この数個の事実から直接に(いわば訴訟物たる)請求権が生ずる場合

(イ) 消費貸借と準消費貸借(二の(三)と対比せよ)

【150】 X対Yの貸金請求の訴で、Xは「第一審ニ於テ金四百円ヲ貸付ケタル旨主張シタルモ……右ノ主張ヲ以テ現金授受ニ依リテ金四百円ヲ貸付ケタル旨ノ主張ナリト断スルヲ得スXカ第二審ニ至リテ本件貸借ハ先ニ金千円ヲ貸付ケタル貸金債権ノ残額四百円ヲ目的トシテ為シタル準消費貸借ナル旨主張シタルハ即第一審ニ於テ為シタル主張ヲ第二審ニ至リ釈明シタルニ過キスシテ訴ノ原因ヲ変更シタルモノト云フヘカラス」（大判昭三・五・一五評論一八諸法二三三）。

第一審の主張の釈明にすぎないという。そうすると、請求の変更にはならぬというのであろう。それでは、請求を特定する要素として、「貸借」という最大公約数的事実だけで足りるのであろうか。原告が釈明しなかつたら、裁判所はどうするのであろうか（請求不特定として訴を却下するのだろうか）。釈明させるべきなのか。釈明させないで純消費貸借の主張として審理してよいのであろうか。審理の過程で準消費貸借に該当する事実が現われたらどうするのであろうか（審理の過程で請求が特定すれば、それで適法な請求となるのだろうか）。

【151】 貸金請求の訴において、

「本件被上告人ノ請求ハ明治三十年九月二十九日当事者間ニ成立シタル金六百円ノ貸借契約ヲ原因トセルコト……明白ナリ而シテ其関係ノ由テ生シタルハ現金ヲ貸付ケタルカ為メナルカ又ハ従前ノ債務ヲ之ニ更メタルカ為メナルカノ事実ノ如キハ請求原因ノ範囲ニ属セスシテ唯其由来ヲ明カニスルモノタルニ過キサレハ必スシモ被上告人ノ主張ニ於テ之ヲ特定明示スルヲ要セス又後ノ弁論ニ於テ便宜之ヲ附加若クハ更正スルコトヲ妨ケス」（大判明四二・一〇・五民録一五・七一〇）。

某月某日のXY間の某円の「貸借」ということで請求は特定すると考えられているようである。消費貸借と準消費貸借を区別するのに必要な事実は、請求の特定のためには必要ではない、と考えられているようである。そうすると、これらの事実に関する主張は、請求の特定のために必要な材料ではなく、請求認容のために必要な材料ということになろう。

【152】 Nが明治三十三年十月九日金六十八円をY_1Y_2に連帯債務で貸与したとの主張を第一審でなし、XがY_1に金五十円を貸与し明治三十三年中にその元利合計金六十八円となったので、これを債務者をY_1Y_2とし債権者をNとする債務に更改したとの主張を第二審でした場合、

「畢竟第一審以来本訴請求ノ原因トシテ主張シタル甲第一号証ノ消費貸借関係ニ付キ第一審ニ於テハ単ニ同証書面ニ顕ハレタル事実ノミヲ陳述シテ其他ニ及ハサリシヲ原審ニ於テ其貸借関係ノ因テ生シタル来歴ヲ詳述シ第一審ニ於ケル事実上ノ供述ヲ更正補充シタルモノニ外ナラサレハ……原裁判所カ之ヲ目シテ訴ノ原因ヲ変更シタルモノトシ新訴トシテ之ヲ却下シ其結果原審ニ於テ更正補充セラレタル事実上ノ陳述ニ基カスシテ上告人ノ請求ヲ棄却シタルハ違法」(大判大五・一二・八新聞一二一五・二八)。

【153】 貸金請求事件で、甲第一号証の契約について、Xは大正一四年五月二〇日Yに千円を消費寄託したとの主張が第一審でされ、SがXに対し負担していた手形債務の残金千円につきYのXに対する消費寄託に改めたとの主張が第二審でされた場合、「消費寄託ヲ原因トスル訴訟ニ於テ初ニ現金ノ交付ニ因リ消費寄託成立シタリト主張シ後ノ弁論ニ於テ他ノ原因ニ因リ給付スヘキ債務アル金銭ヲ以テ消費寄託ノ目的ト為シタリト主張シタルトキハ単ニ民事訴訟法一九六条一号ニ依リ事実上ノ申述ヲ更正シタルニ過キスシテ消費寄託タル訴ノ原因ヲ変更シタルモノト云フヲ得」ず(大判昭二・六・九民集六・三四一)。

この場合【152】【153】には、後の陳述は、前の陳述の抽象性の具体化たる釈明であるとはいえない。明らかに、別異の事実の陳述である。にもかかわらず、請求の変更はないと考えているようである。その根拠はなにか。おそらく、契約の単一性が、証書や締結日時などにより十分に特定されることができるので、同時には併存しえないところの、数個の契約の態様を示す事実は攻撃方法として扱えば

足りると考えられているのであろう。

【154】「該契約カ現金ノ授受ニ基ク消費貸借ナルヤ或ハ現存ノ債務ヲ目的トシタル所謂準消費貸借ナルヤ否ノ点」において、当事者の主張と異なる認定をしても、「右判定カ右甲第二号証ノ表示スル契約其ノモノノ成立ト其内容以外ニ亘ルモノニアラサル以上ハ之ヲ以テ被上告人ノ主張セサル事項ヲ被上告人ニ帰セシメタルモノト謂フコトヲ得サルヤ勿論」である（本件四千円の貸金請求は要するに甲第二号証の消費貸借契約に基くもの）（大判昭一八・五・二〇法学一三・六七）。

右判決には、消費貸借か準消費貸借かは、裁判所の職権に属する法的構成の問題である、とする考え方が潜んでいるように思われる。

【155】「第一審ニ於テ被上告人カ本件消費貸借ハ大正十年八月五日現金ノ授受ニ因リテ成立シタルモノナルコトヲ主張シタルニ拘ラス原審ニ於テ本件消費貸借ハ大正十年八月五日ニ成立シタル消費貸借上ノ債務ヲ大正十四年五月二十日準消費貸借ニ改メタルモノナル旨主張シタルコトハ……明白ナリト雖モ被上告人ハ上告人……トノ間ニ成立シタル消費貸借ヲ請求原因ト為スモノニシテ前記ノ如キ主張ノ変更ハ単ニ事実上ノ申述ヲ更正シタルニ止マリ請求ノ基礎ニ変更ナキハ勿論請求原因ノ変更ニ非サルモノトス」（大判昭五・六・一七新聞三一五一・九）。

ここでは、明らかに二個の別異の契約が主張されている（この二個の契約は、ともに成立しうる。現実に同時に併存することはありえないが）。この場合でも、請求の変更はないという。どんな根拠によるか。「貸借」という最大公約数的事実による特定を根拠にすることはできない（事実が二個だから）。債権の目的物たる金銭の単一特定性を根拠にするよりほかはない。事案では、契約は二個の別異のもので、これが二者択一的な関係にある。だが、一方の契約上の債権の目的物たる金銭と、他方の契約の目的物たる金銭は同一のものが考えられているのである。この判決は注目に値する。

なお、下級裁判所の判例の中に、反対のものがある（東京地判明三五・三・一新聞七八・一一）（上諏訪区判昭三・五・八評論一七民訴三七五）。

（ロ）　本人の権利義務と本人の前主の権利義務

【156】　贈与契約に基く不動産引渡請求の訴において、

「其契約カ直接ニ当事者間ニ成立シタリト主張スルモ将又贈与契約ハ原告ノ先代ト被告トノ間ニ成立シ原告ハ相続ニヨリ先代ノ権利ヲ承継シタリト主張スルモ贈与契約ノ成立事実ニ何等ノ変更ナキモノナレハ斯ル主張事実ノ変更ハ……事実上ノ申述ヲ補充更正シタルモノト云フヘク之ヲ以テ訴ノ原因ニ変更アリト云フコトヲ得ス」（大判大五・三・二四民録二二・四三四）。

おそらく、請求の変更もないと考えたいのであろう。では、その根拠は？　ひとつは不動産引渡請求は引渡の目的物の特定によって十分に特定すると考えられ、引渡請求権の発生原因たる契約は攻撃方法であると考えられうるからである。もうひとつは、右の契約もまた不動産引渡請求の特定のために必要であるとしても、契約は、その当事者が本人であるか先代であるかの事実を阻却しても、特定されうるからである、ということになろう。すなわち、右判決は、契約の当事者が本人であっても先代であっても、契約の単一性を損わないと考えている。それは先代は、包括承継の前主であるからであろうか。では、契約を特定する要素として何を考えているのであろうか。又、それでは、契約の当事者が、本人であっても特定承継の前主であっても、契約の単一性を損わないと考えるのであろうか。

【157】　「被上告人Xハ第一審ニ於テ本件売買ノ目的物ヲ昭和五年一月一八日Xヨリ上告人Yニ売渡シタル其ノ代金残額三〇〇円ヲ訴求スル旨主張シ第二審ニ至リテ右売買ノ買主ハ訴外AニシテYハ其ノ代金中四一五円五八銭ノ債務ヲ引受ケタルモ内金三〇〇円ノ支払残額アルヲ以テ之カ支払ヲ訴求スル旨其ノ主張ヲ変更シ

タルモノナルカ故ニXハ本件ノ売買其ノモノニ付テハ単ニ買主カ何人ナルカノ主張ヲ変更シタルニ止マリ敢テ別個ノ売買ヲ主張シタルモノニ非ス随テ其ノ売買代金請求ノ基礎其ノモノニハ変更ナキモノト解スルヲ相当トス」（大判昭一〇・四・一三民集一四・六・五二三）。

「別個ノ売買」の主張にならないのはなぜか。買主の要素を除いても売買の単一性を認識させる要素が十分にあつたのであろうか。しかし、そうではあるまい。おそらく、買主を誤って被告であると主張したのであろう。およそ、買主が被告である場合と訴外人である場合とは、「別個ノ売買」である。しかしその場合でも、それらは、同時に主張すれば二者択一の関係におかれる。それでも「別個ノ売買」の主張でないという意味は、それらを区別するのに必要な事実は、請求の特定のためには必要でなく、その他の事実において売買の単一性を認識させる要素があれば足りるというのであろう（かかる要素は実は、目的物たる金銭を特定する要素である）。

【158】　貸金の訴において、債権の訴外人からの譲受の主張を貸付の主張に変えた場合、「本訴債権ノ取得原因タル事情ヲ変更シタルニ止マリ……請求スル債権其ノモノヲ変更シタルモノニアラ」ず（仙台地判昭五・二・二四新聞三一〇三・一四）（同旨、千葉区判昭二・一・二〇新聞二六五四・九・東京控判大四・一二・四新聞一〇七八・二三）。

「債権其ノモノ」が変更していないとなぜいえるのか。債権の目的物たる金銭の同一性が認識されうるからではないのか。「債権」に着目するならば、それは変更されたのだと考える余地を残し、それが、次に紹介する判例となつて現われる。

【159】　貸金請求の訴において「原告カ自ラ被告ニ対シ金員ヲ貸与シタリト主張シ後ニ原告ノ先代カ貸与シ原告ハ其ノ貸金債権ヲ相続シタリト主張スルハ明カニ別異ノ事実ヲ主張スルモノニシテ斯ノ如キハ……訴

ノ原因ノ変更ナリトス」（東京地判大一五・四・二一新聞二五七九・一二）。

（ハ）ある契約（など）に基く請求において、その契約が既に生じていた債権債務を目的としている場合における、その債権債務の発生原因たる事実

【160】ＸＹ間に明治三六年九月一日に成立した準消費貸借契約に基きＸが金銭請求をした訴において、「第一審ニ於テ消費貸借ノ目的トナリシ旧債務ハ麦代金ナリシ事実ヲ主張シ第二審ニ於テハ其旧債務ハ債権者ノ交替ニ因ル更改ニ因リテ上告人ノ債権ニ帰シタル旨ヲ主張シタリトテ要スルニ是レ請求原因ノ成立以前ニ於ケル沿革ノ事実ヲ変更シタルニ過キサレハ」請求原因の変更ではない（大判明四二・二・九民録一五・七三）。

準消費貸借の目的となつた債務が、ＹがＸから麦を買入れるにあたり、その代金を、ＺのＹに対する債権を更改によりＸのＹに対する債権にすることにより決済することになつたことにより生じた単一のものである。だから、請求原因の変更はないというべきなのであろう。

【161】準消費貸借に基く訴において、準消費貸借の目的となつた債権に関する「主張モ亦請求原因タル事実ノ主張ノ一部ニ外ナラ」ないが（大判昭九・六・三〇新聞三七二五・一七）、その発生原因に関する主張の変更は、「準消費貸借ノ成立シタル事実……ノ同一性ヲ二ニスルモノニ非ルヲ以テ……」請求の原因に変更なし（東京地判昭一五・九・二八評論三〇民訴六九）。

請求を特定する事実としては、請求が基くところの準消費貸借の事実で足り、準消費貸借の目的となつた債務の発生原因たる事実は必要でないというのである。なぜ準消費貸借で足りるか。その目的たる債権のいわば目的物たる一定量の金銭が、終始同一であると認識することができるからではないのか。

【162】被告がＯから受取つた金一千円の支払を求める訴において、被告が一千円の約手をＯに振出し同日右手形債権を目的として準消費貸借契約を締結し、右契約上の債権を原告がＯから譲受けたとの主張を、Ｏ

が被告に一千円貸与し、このOの債権を原告が譲受けたとの主張に改めた場合、「斯ノ如キハ請求ノ原因ノ変更ニ因ル訴ノ変更ニ外ナラ」ず（大判昭八・七・一二裁判例(七)民一七七）。

直接の原因事実は、Oの債権を原告が譲受けたこと、であり、その債権のいわば目的物たる一千円については、前の主張における、被告がOに手形を振出して受けとつた一千円と、後の主張における、被告がOから貸与された一千円とは、同じ一千円であるようである。にもかかわらず、請求の変更であると考えられている。それは前の主張における債権が手形債権だからであろうか。それとも、一般的に、譲受の目的物たる債権の発生原因たる事実が異るからであろうか。後者ならば、【160】【161】の趣旨と矛盾するのではないか。

【163】 失権株式競売代金不足額請求の訴において、株式の取得原因に関する主張を変えることは、株式の同一性を失わしめない場合には、「株金払込ノ義務ヲシテ別異ノモノタラシムルコトナ」し（東京地判大一四・一二・一六新聞二四六七・一二）。

「競売」に基づく請求において、売られた失権株式の取得原因の変更は、競売された株式が単一であるかぎり、競売の単一性を損わない、つまり、株金払込義務、従つて不足額支払義務の単一性を損わない、というのであろう。

（ニ）　相続の原因

【164】 家督相続回復請求の訴において、相続開始原因として、隠居を主張し第二審で予備的に死亡を主張しても、「家督相続其ノモノハ同一ニシテ唯其ノ開始原因ノ主張ヲ変更シタルニ過キサルカ故ニ……訴ヲ変更スルモノト解スヘキモノニ非」ず（大判昭四・八・六新聞三〇六六・一一）。

相続に基く請求において、相続の原因たる事実は、右請求の特定には必要でないというのである。

「相続」という最大公約数的事実だけで、十分に特定するというのであろう。

（ホ）　所有権その他の物権の取得原因（三と対比せよ）。

【165】「通行権確認の訴において、その取得原因として契約及び民法の規定による二個の互に抵触しない事実を併せ主張しても、原因不定とはいえない」（大阪地判明四五（ワ）一六、裁判年月日不明、新聞八二八・二五）。

【166】地役権の取得原因として「時効ト設定行為ヲ併セ主張スルモ此等ノ事実関係ハ相容レサルモノニアラサルノミナラス」請求を不明にもしないから原因不定とはいえない（大阪地判大二・四・七新聞八七二・二三）。

【167】所有権の取得原因として「売買ニ因リ本訴目的物件ノ所有権ヲ取得シタルノミナラス此事実ヲ看過スルモ尚其後永年間右物件ヲ占有シ時効期間ヲ経過シタルカ故ニ所有権ヲ取得シタリト謂フ」場合、「各箇ノ原因ハ独立シ互ニ牴触スルモノニアラサレハ原因不定ナリト云フヲ得ス」（東京控判大五・七・二一新聞一一五八・一九）。

【168】所有権確認の訴においては、「所有権ヲ取得シタル事実カ訴ノ原因ト称スヘキモノ」で、「其所有権ノ取得カ売買ノ結果ナリト主張シ時効ノ効力ナリト謂フカ如キハ右事実ニ対スル法律上ノ見解」にすぎず訴の原因の一定を害しない（東京地判大三・一〇・九新聞九九一・二三）。

【169】「其請求ノ原因ハ係争地ノ所有権カ控訴人ニアリトノ単一ナル事実ニ外ナラスシテ控訴人ニ於テ其所有権ヲ取得シタル原因カ売買ニアリヤ将又取得時効ニアリヤハ全ク所有権取得ノ沿革ヲ明カニスル事実タルニ止マリ本訴ノ請求原因ヲ為スモノニアラサルナリ」（名古屋控判裁判年月日不明新聞一〇七三・一三）。

【170】所有権確認の訴について、「（明治四十一年一月二十七日第二民事部判決参照）然レハ原審カ被上告人ニ於テ分与契約及ヒ取得時効ニ因リ本件土地建物ノ所有権ヲ取得シタルコトヲ主張シ二個ノ相牴触セサル法律関係ヲ以テ請求原因ト為シタルヲ是認シタルハ相当ナリ」（大判大六・一二・二二民録二三・二二〇八）。

【171】所有権移転登記請求の訴において、「一面贈与ニ依ル所有権取得シ他面右贈与契約ノ不成立ヲ前提トシテ時効ニ依ル所有権取得ヲ原因トセルコトハ……其原因互ニ牴触スルモノト認メ難キヲ以テ右二個ノ法律

関係ヲ本訴ニ於テ同時ニ請求原因ト為スモ之ヲ以テ原因不定ナリト謂フコトヲ得」ず（東京控判大一五・八・二六評論一六民訴二二五）。旧法時代においては、物権の取得原因の複数の主張は、原因を一定にするか不定にするかという形で問題にされた。抵触しない原因事実の数個の主張は、請求の原因を不定にしないというわけである。一方において、請求原因の複数を認めながら、他方において、請求原因の一定を認めることが、いかにして可能なのであろうか。「請求の原因」が多義的に用いられているのである。

【172】　建物所有権登記抹消請求の訴において、「所謂請求ノ原因トハ……例ヘハ金銭債権ニ基ク給付ニ在テハ原告カ被告ト某年某月某日某ノ法律行為ヲナシ又ハ被告ニ対シ某ノ法律上ノ原因ニ因リタル等ニ基キ某額ノ債権ヲ得タル事実ヲ称シ所有権ニ基ク妨害排除ノ訴ニ在テハ原告カ某ノ取得原因（例ヘハ売買相続又ハ時効等）ニ因リ目的物ノ上ニ所有権ヲ有シタルニ被告カ之ヲ妨害シタル事実ヲ称スルモノニシテ原告ハ此等ノ事実ヲ訴状ニ記載シ且之ヲ口頭弁論ニ於テ陳述スルコトヲ要スルナリ即チ所有権ニ基ク訴ニ於テハ単ニ或目的物ノ上ニ於ケル所有権ヲ主張シタルノミニテハ未タ充分ニ所有権ナル権利ヲ特定シタル者ト謂フヘカラス……而シテ権利ノ取得原因ハ訴ノ原因ノ主要ナル事実ヲ成スモノナルヲ以テ原告カ其取得原因ヲ変更シタルトキハ訴ノ変更ヲ為シタルモノトス」よって第一審で買受を主張し第二審で取得時効を主張するのは訴の変更となる（東京控判明四五（ナ）五二、裁判年月日不明、新聞八四一・二二）（同旨、奈良地判大二（ワ）八一、五の（八）【266】）。権利の取得原因を、物権の場合にも、請求の原因であると考えるかぎり、右判決の結論は、さけられないであろう。

【173】　所有権移転登記手続請求の訴において、「所有権取得ノ原因トシテ主張セラルル事実カ如何ニ異レハトテ取得シタル所有権其ノモノノ同一性ハ毫モ動カサルルトコロ無シ蓋同一物ニ対スル所有権ハ唯一ニシテ無二ナレハナリ左レハ所有権其ノモノ若クハ所

有権ニ基ク物上請求権ヲ訴訟物トスル訴ニ於テ所有権取得ノ原因ニ関スル主張ヲ如何ニ変更スルモ之カ為訴ノ変更ヲ来ササルコトハ新旧民事訴訟法共ニ択フトコロナシ何者訴訟物自体ハ絶エテ其ノ同一ヲ失フコトナケレハナリ……」(大判昭五・五・二一新聞三一三九・一二)(所有権留保を理由とする前訴の確定判決後に、取得時効を理由とする本訴を起した事案)(この系統にぞくする判例、大判大七・九・一八民録二四・一七八七、長崎控判大一二・一・三〇新聞二一〇七・一八、東京控判大一二・四・六評論一二民法五二四、東京控判大二・七・一〇新聞八八八・二三、東京地判明四四(ワ)九二二、裁判年月日不明、新聞八一二・四)。

かくて、物権に基く訴においては、その取得原因は、請求の原因から、排除されたのである。従って、攻撃方法として扱われるわけである。

【174】　宅地の所有権移転登記請求において

「第一位ノ請求トシテ本件宅地ノ所有権ハ小作米債務ノ代物弁済契約ニ依リ被上告人H及被上告人R先代ニ移転シタリトナシ之ニ基キ登記手続ヲ訴求スルト共ニ該請求ノ理由ナキ場合ニ於ケル第二位ノ請求トシテ本件宅地ノ取得時効ニ基ク登記手続ヲ予備的ニ併合シタルモノナルコトハ……認メ得ヘキ所ナレハ……」(大判昭一六・五・二三民集二〇・六六八)。

同じ所有権移転登記請求であるのに、どうして、こう違うのであろうか。

【175】　亡Kの五女Y名義の所有権保存登記のある家屋につき、Kの二女と婚姻し婿養子となったXが所有権移転登記を求めた訴において、建物はKからYに贈与された事実が認定されたが、Kが建物所有権を取得した原因について、Yは、資金はXYその他が出捐し家屋はKが建築して所有権を原始取得したと主張しているのに、原審は、XY等協力してKのため本件家屋を新築してKに贈与したと認定したことは、「結局Yの主張に基いて、Yが右Kから贈与により本件家屋の所有権を取得した事実を認定しているのであるから原判決には当事者の申立てない事項について裁判した違法があるとはいい得ない」(最判昭二五・一一・一〇民集四・一一・五五一)。

【176】　建物所有権の確認の訴において、

「本件の訴訟物は建物の所有権であるから、被上告人がこれを取得するにいたつた事由は、請求の原因ではなく、請求を理由ずける攻撃方法としての必要な事実にすぎない。従つて被上告人が初め建物の所有権の承継取得を主張し、後にその原始取得を主張するにいたつたとしても、それは攻撃方法が変更されただけであつて、請求の原因に変更があつたのではなく、前後を通じ請求の基礎に変りがないことは言うまでもない」（最判昭二九・七・二七民集八・七・一四四三）（福岡高判昭二六・八・二七下級民集二・八・一〇三五を支持）（三ケ月・前掲二〇〇一二〇二をみよ）。

したがつて、右取得原因については、確認請求認容判決の既判力は生じない（大判昭三・七・二五新聞二八九二・一五）（大判昭三・八・一評論一八民訴二二四）。

所有権確認請求は確認さるべき所有権を特定するだけで十分に特定するというのである。その根拠は？ 所有権は所有権の客体の特定だけで特定できるからであろう。同一物に同一人の所有権が同時に重複することはないからである。右の諸判決が示すように、次第に、この方向に固まりつつあるということができよう。

【177】 XのYに対する所有権確認の訴において、Xは、X先代TとYとの売買契約によるTの所有権取得を主張し、予備的に「YはNに本件不動産を売渡し、Tは更にNよりこれを買受けその所有権を取得したのであつて、関係当事者間には中間登記省略に関する合意が存したので、……」と主張した場合、「右請求原因の追加はこれを新なる原因に基く別個の請求の予備的併合であると解しても」請求の基礎を同じくし著しい訴訟の遅延を来さない（東京高判昭二八・六・一七判決時報四・二民六〇）。

（へ） 賃借権の発生原因

【178】 XのYに対する土地明渡請求において、

「XハYカ大正十二年九月一日Aトノ間ノ賃貸借契約ニ基キ取得シタル借地権ヲ昭和三年十一月五日Yヨリ

譲受ケタル旨主張シ第二位ニ於テ仮ニ右借地権譲渡ノ事実ナシトスルモXハ昭和三年十一月五日Aトノ間ノ賃貸借契約ニ基キ借地権ヲ取得シタル旨主張シ土地所有者タル右Aニ代位シテY等ニ土地ノ明渡ヲ求……ムト云フニ在ルヲ以テ其請求原因不定ト謂フヲ得ス右ハ所謂予備的訴ノ併合ニシテ其適法ナルコト疑ヲ容レス」(東京地判昭八・五・四新聞三五七〇・八)。

請求は借地権に基く。同一地につき同一人が同時に重複して借地権を有することは、あるいはあるかも知れない。しかし、同一地の明渡を同時に重複して受けることはありえない。にもかかわらず、請求は、予備的にではあれ、併合であると考えられている。

【179】 地主以外のものに対する借地権の確認及び借地権に基く土地明渡の訴において、昭和一九年の契約により取得した借地権が強制疎開で買収され一旦消滅したが、疎開解除後臨時処理法により再び旧借地について借地権を取得したとの主張を、当初の契約による借地権は強制疎開により消滅しなかつたとの主張に変更した場合、「原告は請求原因を変更して訴を変更したものと云わなければならない。（この場合、確認を求める借地権も発生原因を異にするので厳格に云えば請求の趣旨にも変更があるわけであるが、訴訟の取扱上の慣例では、期間その他の賃借権の内容が同一ならば形式上は請求の趣旨には変更がないので、請求の趣旨には変更がないと同様に取扱われる。）」(請求の基礎には変更はない)(東京地判昭二六・三・二下級民集二・三・三一六)(同旨、東京地判昭二六・九・一七下級民集二・九・一一二九)(三ケ月・前掲二〇一)。

借地権が確認の対象である場合でも、地代や期間は請求を特定するのに必要な要素ではない(地代につき前掲最判昭三一・一・三一、二の一(三)(1)(八)【71】参照)(期間につき、前掲東京高判昭三一・一二・二五、二の一(三)(ニ)【72】参照)ならば、借地権の客体たる土地の特定だけで借地権確認請求は十分に特定するといえないだろうか。右判決は、借地権の発生原因事実(たとい、それが架空のものであれ)に着目し、それが、訴訟物の特定に必要であると考えている。

【附】 損害賠償請求の訴において

「本件ニ於テ当初請求ノ原因トスル所ハ被告会社ハN会社ノ原告ニ対シ有スル本件建物ノ賃貸借契約ニ基ク一切ノ権利義務ヲ承継シ此義務ニ違背シタリト云フニ在リ……更ニ原告ハ被告ノ本件義務違背ヲ原告ト被告トノ新契約ニ基ク義務違背ナリト主張スルモノナルカ故ニ申立ノ原因タル重要ノ事実即チ訴ノ原因ニ変更アルコトハ寔ニ明カナリ……」（東京地判明四〇・九・二五新聞四五八・一八）。

（ト）解除・解約・特約（三の(三)と対照せよ）

【180】 家屋明渡の訴において、期間の定めなき賃貸借で何時でも明渡を為すべき旨の特約ありとの主張に、右特約がないとしても期間の定めがないから解約を申入れかつ三ヶ月を経過したとの主張を附加した場合、本請求権のよつて生じた法律関係の基く事実は特定しているから、請求原因不定とはいえない（東京地判明四四(レ)一二五、裁判年月日不明、新聞七九二・一九）。

「明渡の特約」と「解約の申入」は、牴触する関係にはない。いずれも、賃貸借終了の原因である。この意味で、「請求原因不定」とはいえないのであろう。だが、請求の変更にもならないのか。それはなぜか。

【181】 建物明渡請求訴訟において、無断転貸による契約解除と自己が所有権者であることとを主張し、控訴審で、正当事由に基く解約申入の主張を追加した場合、これは攻撃方法の追加であつて新訴の追加ではない（請求原因は賃貸借終了である）（東京高判昭二九・七・一二判決時報五・七民一五四）。

「賃貸借終了」が請求原因である、という考え方は、最大公約数的事実に着目した考え方である。この考え方が可能なのは、終了した賃貸借が特定しているからであろう。そしてそれは、賃貸借の目的物が特定しているからではあるまいか。

【182】 建物並機械器具引渡請求の訴において、賃貸借の解約の主張に、予備的に、解除の主張をすること

は、「請求原因の変更」である（東京高判昭二七・七・三下級民集三・六・七六三）。「賃貸借の効力の将来に向っての消滅」という最大公約数的事実でも、解約又は解除される賃貸借そのものは単一であるということでも、請求の目的物が特定物で同一人が同時に重複して引渡を受けることはありえないことでも、請求の特定のためには、不十分であるというのであろうか。

（チ）　無効（又は不成立）と解除

【183】　仮登記抹消請求において、仮登記の原因である交換契約が当然無効であると主張し、仮りに有効としても契約を解除したと主張するのは、

「全ク相容レサル数個ノ原因ヲ以テ請求ヲ為スモノニシテ其原因ハ一定セサルモノト云ハサルヘカラス控訴人ハ登記ノ抹消手続ヲ求ムル請求ニ於テハ其登記原因ノ不当ナルコトヲ主張スレハ足ルモノニシテ其不当タルヘキ事実関係ハ数個ナルコトアルモ訴ノ違法タルヘキモノニ非サル旨ヲ主張スレトモ訴ノ原因ハ如何ナル事実関係ニ因リ請求権アルヤヲ確定セサルヘカラサルカ故ニ其請求権ノ由テ発生シタル事実関係ヲ一定スルニ非サレハ其請求ノ当否ヲ判断スルコトヲ得サルモノトス……」（東京地判明四一・三・二七新聞四九七・五）。

【184】　恩給証書の返還請求の訴で、取立委任契約の解除を訴状に記載し、後に右契約の当初からの不成立を主張した場合、これらは「別異ノ法律事実ニ属スルコト言ヲ俟タサルカ故ニ原告ハ……訴ノ原因ヲ変更シ別異ノ新訴ヲ提起シタルモノト謂フヘク……」（東京区判大三・一二・三評論三民訴二七七）。

【185】　同一契約に基く代金返還請求の訴において、要素の錯誤に基く無効を主張して敗訴の確定判決があつても「履行不能ヲ原因トシテ売買契約ヲ解除シテ為ス代金返還ノ訴」は、「請求ノ原因ヲ異ニスル別個ノ訴ナルヲ以テ」、これを提起することは妨げられず、履行不能による契約解除の主張を詐欺による契約取消の主張に改めることは、「別個ノ原因ニ基ク訴」の提起で、かかる「新訴ハ不適法」（大阪控判大八・四・三〇新聞一五五〇・一九）。

【186】　土地売買契約に基く内払金返還の訴において、売買契約解除（民法五六一条）の主張を（その部分についての売買契約不成立にもかかわらず、その部分の代金も払つたから過払となる、というらしい）不当利得の主張に改めた場合、「明カニ請求原因ニ変更アリタルモノト謂フヘク即旧訴以外ニ新訴ヲ提起シタルモノ……」（大阪地判昭三・五・二二八新聞二八六九・一二）。

【附】　転貸借無効確認請求において、

「何レノ主張ニ依ルモ均シク其結果トシテ転貸借ノ不存在ヲ生スヘキ事実ナリト雖一ハ転貸借契約カ要素ニ錯誤アリテ解除ノ意思表示ナキモ無効ナリト云ヒ他ハ要素ニ錯誤ナキモ後ニ解除ノ意思表示ニ依リ無効ト為リタリト云フニ在レハ此二個ノ事実ハ相抵触シテ併存スヘカラサルノミナラス要素ニ錯誤アル契約ハ初メヨリ無効ナルニ反シ転貸借ハ解除ニ依リ将来ニ向テノミ効力ヲ失フモノナレハ之ニ因リテ生スル法律関係モ亦全ク相異レリ故ニ此二者ヲ併セ主張スル原告ノ訴ハ請求ノ原因一定セサル不適法ノ訴ナリ……」（大阪地判明四四(ワ)二一六、裁判年月日不明、新聞七二九・二三）。

旧法時代においては、有効を前提とする解除に基く主張と無効（又は不成立）を前提とする主張とが請求を別異のものにする主張の相異として把えられている。有効か無効かが問題とされる契約そのものは単一であるのに。そうすると、この種の場合においては、契約だけでは請求を特定するための要素としては、十分ではなく、その無効とかその解除とかいうことも、請求の特定のための要素として必要である、ということになる。それは、無効の場合と解除の場合とで、法的効果が異るからなのであろうか。無効と解除は両立しないというだけでは理由にならないように思える。

【187】　所有権移転原因たる売買の通謀虚偽を理由とする所有権移転登記抹消請求を棄却する確定判決あるときは、同一登記の抹消を、所有権移転原因が解除条件附贈与で解除条件が成就したことを理由として、請求

することは妨げられる。それは前後の「各請求ノ同一ナルコトヲ阻害スヘキモノニ非ス」であるから（東京地判昭七・九・二七評論二二民訴五三八）（（リ）【190】と対比せよ）。

右判決と【183】乃至【186】の判決との間に矛盾はあるのかないのか。ないとすれば、それは、右判決が（抹消）登記請求に対するものであるからであろうか。つまり、所有権の存否が請求原因であって、所有権の不移転は、所有権の特定により特定するからであろうか。

（リ）　無効と取消

【188】　「本件ニ於テ被上告人ハ第一審ニ於テハ債権差押及転付命令ノ取消ヲ請求シ第二審ニ於テハ該命令ノ無効確認ト上告人カ右命令ニ因テ収受セシ金銭ノ返還ト保証金領収ノ承認トヲ請求シタルコトハ上告人所論ノ如クナリト雖モ其原因ニ至リテハ少シモ変更スル所ナク且差押及ヒ転付命令ハ請負代金弐千五百五十円保証金弐百五十五円ニ対スルモノニシテ之レカ取消ヲ求ムルハ即チ上告人カ之ニ依ツテ右金額ヲ領収スルコトヲ排斥シ其結果右金額ヲ被上告人ノ領収スヘキモノトスルニ在レハ第二審ニ於ケル申立ハ必竟第一審ニ於ケル申立ノ当然ノ結果トシテ生スヘキ事項ヲ更ニ請求トシテ申立テタルニ過キサルカ故ニ民事訴訟法第百九十六条第二号ニ所謂申立ノ拡張ニ該当スルモノニシテ訴ノ変更トナラス」（大判明三五・一一・七新聞一一六・二五）。

「更ニ請求トシテ」といっているところをみると、請求の併合を考えているようにもみえる。だが「申立ノ拡張」に該当し「訴ノ変更」ではない、といっているところをみると、請求の変更はあるが、訴の原因に変更がないから、訴の変更ではなく、請求の追加も、「申立ノ拡張」の一態様である、というのであろう。

【189】　詐害行為廃罷（所有権移転登記抹消）控訴事件において、売買は仮装であると主張し、仮りに仮装で

なくても廃罷できる、と主張することは（売買が仮装なら、それは無効で、無効ならば、廃罷訴権を行い得ないから）、「全ク二個ノ事実ヲ主張シテ一個ノ請求ヲ為スハ訴ノ原因一定セサルモノ……」（大阪控判明三七・三・一八新聞二〇五・一〇）。「無効」の主張と「廃罷」の主張は相抵触する。それだから、「訴ノ原因一定セサルモノ」とされたのであろう（（ホ）の【165】【166】【167】【168】と対照せよ）。だが、主張の抵触の有無が、訴の原因の定不定の基準になるという根拠はなにか。法的効果が異るとでもいうのであろうか（又「一個ノ請求ヲ為ス」とみているが、その視点はなにか）。

【190】　原告は、一方において、養子を被告として縁組無効の訴及び縁組取消の訴を起し、他方において、養子の家督相続を原因とする登記の抹消を養子を被告として求めた訴を起し、この後者の訴について、「其請求ノ原因タル事実関係ハ要スルニ登記原因ノ無効及ヒ取消ナル二個ノ原因ヲ主張スルモノナルコトハ………明瞭ニシテ右二個ノ原因ハ互ニ相容レサル独立ノ原因ナルヲ以テ本訴ハ原因ノ一定セサル不適法ノ訴ナリ……」（大阪控判明四四・八・二九新聞七四〇・二五）。

訴の原因が一定しないときは、請求の変更がある場合なのであろうか。そうでもないらしい。二個の原因の主張が二個の請求の主張ならば、それなりに、一定しているからである。一個の請求で両立しない二個の原因を主張するから、請求の原因が不定であると考えられるのではないか。しかし、そうだとしても、登記原因の無効と取消は、抹消登記請求の特定に影響を与える要素であるのか、の問題は残る。

【191】　同一不動産所有権移転登記抹消請求の訴において、譲渡行為の取消の主張を、譲渡行為の当然無効の主張に改めた場合、「新ニ訴ヲ提起シタルニ外ナラ」ず（大阪控判明四四・一一・三〇新聞七六一・二三）（（チ）【186】と対比せよ）。

【192】　贈与契約を登記原因とする所有権移転登記の抹消を求める訴において、贈与契約の当然無効の主張を

取消の主張に改めた場合、「均シク右贈与契約ノ無効ナルコトヲ主張シテ本訴ノ請求ヲ為スモノナレハ之レヲ以テ訴ノ原因ヲ変更シタルモノト謂フコトヲ得ス」（大判大六・五・二一民録二三・七八九）（同旨、東京控判大一三・九・六新聞二三〇七・二二、東京控判大一〇・九・三〇評論一〇民訴五五〇）（（チ）【187】と比べてみよ）。

この判決において、大きな変化がみられる。

【193】「或債権契約ハ当然無効ナルカ故ニ此ノ債権契約ノ履行トシテ給付シタルモノハ不当利得トシテ其ノ返還ヲ請求スト云フモ将タ取消ノ結果無効ト為リタルカ故ニ不当利得トシテ云云ノ返還ヲ請求スト云フモ其ノ不当利得返還請求権ソノモノトシテハ一アリテ二無シ蓋当然ノ無効ト取消ニ因ル無効ト両様ノ無効アルニ非サレハナリ然ラハ則チ当然ノ無効ヲ請求原因トスル不当利得返還請求権ノ訴ト取消ニ因ル無効ヲソレトスル不当利得返還請求権ノ訴ト其ノ請求即訴訟物ハ正シク同一ナルカ故ニ已ニ第一ノ訴ニ於テ当該請求権ヲ否定セラレタル以上此ノ判決ハ当然ニ第二ノ訴ニ其ノ確定力ヲ及ホスコトマタ多言ヲ俟タス是猶甲ナル事由ニ因リテ取得シタリト主張スル所有権ノ確認ノ訴ニ於テ一旦請求棄却ノ判決アリタルトキハ此ノ判決ハ乙ナル事由（但开ハ前訴ノ事実審ニ於ケル口頭弁論終結前ニ生シタル事由）ヲ取得原因トスル同一確認ノ訴ヲ羈束スルト毫モ異ナルトコロ無シ」（大判昭三・八・一民集七・六八七）。

登記訴訟における同じく不当利得訴訟でも、登記原因たる契約の無効・取消と同じく、不当利得を惹起させる契約の無効・取消は、請求を特定するためには、必らずしも必要ではない。しかし、その根拠は、同じなのか。不当利得の場合には、「法律上ノ原因ナクシテ……」という最大公約数的事実が法律要件として規定されているから、と考えられているのではあるまいか。

【194】Aの破産管財人XのYに対する所有権に基く移転登記抹消請求の訴で、Xが、（一）移転登記が仮装の売買による無効のものである。（二）仮りに右の売買が仮装でないとしてもこれを詐害行為として否認する、

と主張した場合

「Xは（一）においては本件不動産の所有権が終始Aに帰属していたことを主張し（二）においては仮りに然らずとしてもXの否認権の行使によつて否認の効力が発生して本件不動産の所有権は当然Aに復帰したのであつて、いずれにしても本件不動産のAの所有に属することを主張しその所有権に基く物上請求権を本訴の訴訟物として登記の抹消という一個の請求をしたものであり、前記（一）（二）の主張は右の物上請求権を理由あらしめこれを維持するための攻撃方法として提出したものに外ならず、所論のごとく売買の効力に関する請求と否認権の行使に関する請求との本来別個の二個の請求を予備的に併合したものではない。つまり攻撃方法が二個あつただけで訴が二個あつたのではない」（最判昭二三・一〇・一二民集二・一一・三六五）（三ケ月・前掲一七三―五）。

右判決の趣旨は、登記訴訟にのみ妥当するのか。それとも、物の引渡や所有権の確認の場合にも通用するのか。いずれにせよ、相抵触する仮定的主張を攻撃方法として把えている点は注目に値する。

【195】　仮処分異議の訴において、

「被上告人の上告人Sに対する本件仮処分申請における請求は、所有権に基き本件土地建物の引渡を求めると共に虚偽譲渡を原因とするSのための所有権移転登記の抹消登記手続を求めるものであり、本件起訴命令に基いてSに対し被上告人の提起した詐害行為取消の訴における請求は右譲渡行為を詐害行為として取消し同様抹消登記手続を求めるものである……。されば両者の間に請求の基礎において同一性がある……」（最判昭二六・一〇・一八民集五・一一・六〇〇）。

「請求の基礎」を問題にしていることは、請求の変更を前提していることを意味する。請求の変更がなければ、請求の基礎は問題になりえないからである。そうすると、判決【195】は、判決【194】と矛盾しはしないか（三ケ月・前掲一七五参照）。

（ヌ）　契約の無効と契約のその他の理由による終了

【196】「上告人ハ第一審ニ於テハ本件手形ハ有効ニ成立シタルモ手形金ノ請求ニ付キ為スヘキ手続ヲ尽サザリシ為被上告人ニ対スル償還請求権ヲ失却セリ然レトモ被上告人カ裏書譲渡ノ対価トシテ受取リタル金一千五百円ハ被上告人ノ不当利得ニ帰スルヲ以テ之カ返還ヲ求ムト云フニ在リシコト明ナリ然ルニ原審ニ至リテハ手形ノ無効ナル事実ヲ主張シ無効手形ノ対価トシテ被上告人ハ金一千五百円ヲ受取リタルヲ以テ不当ニ利得シタルモノナレハ其返還ヲ求ムト云フニ在リテ全ク別異ノ請求原因ヲ主張セシモノナルカ故ニ上告人ハ原審ニ至リ訴ヲ変更シタルモノト云ハサルヘカラス」（大判明三八・六・一〇民録一一・九一九）。

【197】不当利得返還請求において、年金受領の委任契約は無効である、仮りに有効だとしても右委任契約は一定日に年金受領権が消滅したのに伴い消滅したから、右一定日以後に受領した部分は不当利得であると主張した場合、「右ハ一個ノ不当利得請求権ノ成立事実トシテ同一委任関係ニ付二個ノ無効原因ヲ主張シタルニ過キサルモノト謂フ可ク……」（大判昭一六・四・一九新聞四七〇七・一一）。

（リ）と同じく、判例は、動揺している。それは、請求を特定するのに必要な要素として、「法律上ノ原因ナクシテ」という最大公約数的事実（法規が、みずから、かかる最大公約数的事実を法律要件としている）をもつて足りると考えるか、「法律上ノ原因」なからしめる具体的事実を必要とすると考えるか、における動揺である。

【附1】「公正証書ノ執行力ノ排除ヲ求ムルニ実体上ノ債務ノ消滅ヲ主張スルト公正証書ノ事実ニ吻合セサル無効ノモノナルコトヲ主張スルトハ全ク別個ノ原因ヲ主張スルモノナルカ故ニ控訴審ニ於テ新ニ右後者ノ如キ事実ヲ主張スルハ……訴ノ変更ニ該当シ……」（東京地判大三・三・三一評論三民訴五二）（類似、横浜地判大六・六・一二評論六民訴二五、東京地判大九・三・一六評論九民訴一三七）。

【附2】強制執行異議の訴において、「曩ニ公正証書ヲ無効ナリト謂ヒ後執行力ナキニ至レリト謂フハ畢竟同一事実関係ニ対スル法律上ノ意見ヲ更正シタルニ過キサルモノト解スヘキヲ以テ訴ノ原因ニ変更」なし

（東京控判大一〇・三・九新聞一八五三・一九）（XはYから金を借りて抵当権を設定したが、登記済になれば、執行力を失うという特約づきで、公正証書を作成した、とXは主張した。又は、Xは公正証書の無効を主張したいみは、その効力を否認するいみではなく、執行力がなくなったとのいみであると釈明した）。

（ル）　契約の有効を前提とする原因と無効取消（（カ）と対比せよ）

【198】　XはYにその所有立木を引渡しYより二百円を受領した。Xは二〇〇円を返済したから売買名義で抵当に渡した立木を返還すべしと請求したが、Yが乙第一号証で真正の売買を主張したので、Xは、真正の売買ならば、まだ残代金二〇〇円を支払つていないから、売買を解除すると主張した。「第一に貸借契約ヲ原因ト為シ以テ本訴請求ヲ為シ第二ニ若シ貸借ニアラスシテ真ノ売買ナリトスルモ尚ホ其売買ハ取消（解除の意―筆者註）スヘキ理由アリトシ本訴請求ヲ為シタルハ」民訴一九〇条（旧法）にいわゆる「一定ノ原因」に違背しない（大判明三一・一〇・二九民録四・九・四五）。

この判例だけでは、訴訟物は一個でしかも原因は一定しているというつもりなのか、訴訟物は二個で、それでも原因は一定しているというつもりなのか、は明らかでない。

【199】　「本件ハ当初控訴人ニ於テ本件手形債務ノ履行ノ訴ヲ提起シ其ノ訴状送達後被控訴人ニ於テ本件手形行為ヲ取消ス旨控訴人ニ通知シタルニ対シ控訴人ハ其ノ後ノ口頭弁論ニ於テ若シ被控訴人ノ取消ニシテ有効ナリトスレハ更改前ノ旧債務タル売掛代金債務復活スルヲ以テ右手形金ト同額ナル売掛代金ノ支払ヲ求ムル旨主張シ以テ訴ノ予備的併合ノ申立ヲ為シタルモノニシテ……」これは適法（浦和地判昭和四（レ）五九、裁判年月日不明、新聞三一一五・五）。

【200】　土地引渡請求訴訟において、土地を買戻附売買契約により売つたがそれを買戻すと主張し、これを、右売買契約は仮装であつたから返せと主張した場合、請求の基礎の変更のない請求原因の変更である（東京高判昭二八・五・二九判決時報四・一民三〇）。

【201】　Aの破産管財人がAがYに一定日に支払つた金の返還を求めた訴訟において、弁済してはならない

保全処分命令が出ていることを知りながら被告が受領した金だから不当利得だと主張し、予備的に否認権を行使すると主張した場合、東京地判三五・三・四（下民一一・三・四六五）は、これを二個の請求であるとして取扱った。

右の三つの判例において、共通なのは、次の点である。実体法の法律要件事実として異る事実が主張されていること、しかし、それらの事実は同時に併存しえないものとして主張されていること、給付の目的物（金銭又は土地）が単一であると考えられうること。右の三つの判例では請求を特定する要素は第一の点であると考えられている、とみることができる（なお、二(一四)(イ)を参照）。

（ヲ）　権利義務の消滅を理由とする訴とその消滅原因

【202】根抵当権設定及び移転登記の抹消請求事件で、原告Xは第一審で根抵当債務の弁済供託による消滅を主張して、勝訴の判決を得たが、被告Yが控訴した。控訴審で、Xは根抵当債務の債務者の交替による更改契約による消滅を主張したが、X敗訴しこれが確定。Xは再びYに対し、弁済供託による抵当債務の消滅を主張して同一趣旨の訴を起した。大審院は、右の場合、請求の趣旨及び原因の変更があったとし、新訴により旧訴の取下げがあつたとし、旧訴は終局判決後の取下となるから、本訴は不適法であるとした（大判昭一六・三・二六民集二〇・三六一）。

【203】六五〇円の証拠金返還請求の訴において、三口の定期米の売付の委任契約の、適法に市場において取引をしないことを原因とする、解除（大六・七・二五）の主張を、買戻を委託し（大六・七・二八）手仕舞の結果原告の利益において委任契約は終了したとの主張に改めることは、「明ニ訴ノ原因ヲ変更シタルモノニシテ…………右新原因ニ基ク原告ノ新訴ヲ不適法トシテ却下スヘキモノトス」（東京地判大七・四・一九新聞一三九〇・一九）。

【附1】X対Yの債権消滅確認並びに公正契約取消請求の訴において、

「上告人Xハ本件ニ於テ一面ニハ債権者タル被上告人Yハ主タル債務者Hヨリ提供シタル担保物（石炭）ヲ自ラ売却シテ債権ノ弁済ヲ受ケタリトノ事実ニ因リテ本件債権ノ消滅ヲ主張シ又他ノ一面ニハ被上告人ハ担保物ヲ過失ニ因リ滅失セシメタル事実ニ因リテ債権ノ消滅ヲ主張スルモノニシテ此ノ如キ事実関係ハ同時ニ両立スルコトヲ得サルモノニシテ訴ノ原因一定セサルヲ以テ……」（大判明三九・一〇・五民録一二・一一七三）（XはHの保証人）。

（ル）に比し、事案の型は異るが、問題の型は同じであり、判例の考え方も同類であるということができよう。

【附2】　債務名義による競売手続の取消を求める訴において、債務名義に表示された債権の消滅の原因について、弁済の受領に弁済の供託を追加するのは、新たな攻撃防禦方法の提出に該当する（大判明三六・八・一四民録九・九三九）。

【附3】　「請求ニ関スル異議ノ訴訟ハ債務者ヲシテ債権者ノ請求ニ対スル異議ヲ主張セシメ以テ債務名義ノ有スル形式的執行力ヲ排除セシメントスルモノナレハ判決ニ接着スル口頭弁論終結ノ時ニ至ル迄ハ自由ニ如何ナル異議ト雖モ之ヲ主張スルコトヲ得ルヲ其本来トスルモノニシテ訴ノ原因ノ変更ニ関スル民事訴訟法ノ規定ハ此訴訟ニ於テハ其適用ナキモノトス」（京都地判大元（ワ）二二二、裁判年月日不明、評論三民訴三〇九）。

【附4】　債務名義の執行力の排除を求める訴において、債務名義の債権の消滅の原因の主張について、弁済に時効消滅を追加したり（長崎地判大八・五・一新聞一五八六・二〇）、弁済及び免除を代物弁済に改めたり（東京控判大一三・一二・二六評論一四民訴一二三）しても、請求原因の変更でなく、事実上の申述の更正にすぎない。

【附5】　請求異議の訴において、「債務ハ弁済ニ因リテ消滅シタルコトヲ主張シ之レヲ以テ本訴請求ノ原因トナシタルニ拘ラス控訴審タル原裁判所ニ於テ右債務ハ当事者間ノ更改ニヨリ消滅シタルコトヲ併セテ陳述シタルハ即チ新ナル訴ヲ提起シタルモノニ外ナラス………」(大判大九・二・一四民録二六・一八三)。

【附6】「請求ニ関スル債務者ノ異議訴訟ニ於テ債務者タル原告カ最初弁済ニ因ル債務ノ消滅ヲ理由トシテ強制執行ノ排除ヲ求メナカラ後ニ到リ其ノ債務ハ時効ニ因リテモ亦消滅ニ帰シタル旨ヲ主張シタルハ……請求ノ原因ヲ変更シタルニ止マル……」(大判昭六・一一・一四新聞三三七三・一一)(同旨、「単ナル攻撃方法ノ提出ニアラス」東京地判昭一一・三・五新聞三九九一・七)。

要するに、判例は一貫していない。

(ワ)　履行と不履行

【204】　XのY仲買人に対する、株式定期売買の委託に基く計算金請求において、「Xが本件最初の口頭弁論に於て陳述したる訴状記載によればXはYに対しX主張の如き株式定期売買の買建の委託を為し大正五年九月二十七日Yをして之をX主張の如く転売せしめたりと謂ふに在りてYが此転売の委託を履行したりや否やは明確ならざりしものとす故にXが大正六年一月二十六日の口頭弁論に於てYは右転売の委託を履行せざるにより茲に履行に代るべき損害賠償を求むと主張したるは単に事実上の申述を補充したるに止まり毫も訴の原因変更したる者にあらずと認むるを相当とす尤もXは初めYをして右建株をX主張の如く転売せしめたる結果X主張の如き利益金を生じたるに依り之が支払を求むと主張したることは明白なるも右はYがXの委託を履行したりしならんにはXの得可りし利益がX主張の金額也との計算の基礎を示したるものと認むるに妨な」し(大阪地判大六・五・一四新聞一三二三・二九)。

委託を履行したか否かの事実が不明のために、履行したとの事実と履行しなかつたとの事実を仮定的に主張した場合、後の事実が(Xの主観において)判明したために後の事実を主張したときは、前の陳述の補充と理解しているわけである。後の事実についてなお(Xの主観において)不明確なままであつたならばどうなるであろうか。請求の変更(併合)というのであろうか。事実の不明ではなく、事実の法的構成が不明の場合はどうであろうか。いずれにせよ、転売利益金請求と名づけようと、転売により得べかりし利益金請求とは、別異のものではないというかのごとき判旨は注目に値する。

【205】 一定金額を支払う特約の履行を求める金銭請求の前訴と、右特約の不履行による損害賠償を求める後訴とは、「斯ノ如ク特約履行請求ノ訴ト不履行ニ因ル損害賠償ノ訴トハ自ラ事実関係ヲ異ニシ二者ハ全ク同一ニアラサルコト明白ナルニヨリ控訴人ハ同一事件ニ付キ再理ヲ求メタルモノニ非ス」（東京控判大二・一一・二八評論三民訴一九）。

金銭債務の不履行の場合にも、物の引渡義務の不履行の場合と同じく、給付の「目的物」とその不履行の場合の（請求の目的物たる賠償の対象たる）「損害」とは相異るというのであろう。

【206】 「原告ノ請求ハ……ノ契約ニ基キ本件土地及其ノ収穫物ノ価額ノ支払ヲ求ムルコトニ終始シ其ノ基礎ヲ変更セルコトナシ原告カ右価額ノ支払義務ヲ以テ先ニハ契約義務ノ履行不能ニ因ル賠償義務ナリト云ヒ後ニハ之ヲ本来ノ契約義務ナリト云ヘルカ如キハ一定ノ事実ニ対スル法律見解ヲ一、二ニセルノミ論旨ハ理由ナシ」（朝鮮高判昭六・三・三一評論二〇民九三六）。

金銭債務とその不履行に因る賠償金債務とは一定の事実に対する法的見解の差にすぎないならば、請求の変更にならないであろう。それは、給付の目的物たる金銭について同一性が認められうるからではあるまいか。ともあれ、【205】と【206】は、相抵触する。

（カ） 契約（の履行）と不当利得（（ル）と対比せよ）

【207】 XのYに対する五〇〇円の返還請求の訴において、前訴では、XはYに対する九五〇〇円の債務に対し一万円を支払ったから「金五百円ハ過剰弁済ト為リYニ於テ不当ニ利得シタモノナレハ」と主張して敗訴し、後訴では、「XカYヨリ金一万円ヲ借受クルニ際シ其弁済期ヲ期限トシ金五百円ヲ寄託シタ」と主張し

た場合、「前訴ニ於テハ不当利得ノ返還請求権ヲ主張シ本訴ニ於テハ寄託契約ニ基ク請求権ヲ主張スルモノニシテ彼此其請求権ヲ異ニスルヲ以テ原裁判所カ一事再理ノ抗弁ヲ排斥シタルハ正当ナリ」(大判大三・一〇・三民録二〇・七一五)。

【208】　取引所の定期売買の委託の証拠金に関し、取引をしないままに期間が経過し委任が終了したことを理由とする返還の主張を、取引をしたものと装われて、それを誤信して取引の手数料及び損失金の弁済にあてることを承認したことを理由とする返還の主張に変えることは、「前者ノ原因ニ基ク請求ハ……契約上ノ返還義務履行ヲ要求スルモノナルモ後者ノ原因ニ基ク請求ハ所謂非債弁済ナル不当利得ニ基ク請求ニ外ナラス故ニ二者其基ク原因事実ヲ異ニスルヲ以テ訴ノ原因ニ変更アリ……」(長崎控判大五・一二・一六新聞一二一一・二一)((ワ)と対比せよ)。

【209】　二五〇円の請求の訴において、延滞賃料の主張に、賃貸借の当然無効を前提とする不当利得若は不法行為に基くとの主張を予備的に附加することは、「恰モ請求原因ノ変更ニ依ル訴ノ変更ナルノミナラス実ニ請求ノ基礎ヲスラ変更シタルモノニ外ナラス」(大判昭一一・三・一三民集一五・四五三)。

【210】　「例ヘハ初メ貸金ノ返済ヲ訴求セル原告カ後ニ原告ノ貸渡シタリト主張スル金員カ若シ被告抗弁ノ如ク被告カ贈与ヲ受クル意思ニテ受領シタルモノニシテ貸借不成立ナリトセハ被告ハ不当利得ヲ為シタルモノナリトシテ右金額ノ返還ヲ訴求スルトキハ……請求ノ原因ヲ変更シタルモノ……例ヘハ原告カ当初更改ニ因ル新債務ノ履行ヲ訴求シ後訴ニ其ノ請求ヲ更改無効ノ場合ニ於ケル旧債務ノ履行ノ訴求ニ変更シタルトキハ……」(大判昭一八・三・一九民集二二・二三〇)。

【211】　手形金相当額三〇〇万円の支払を求める訴訟において、消費寄託を主張し(貸主は約手を借主に交付し、借主がこれを訴外人に割引いて貰って金融を得、借主が満期日前に手形金相当額を返すこととし、これを預金の受入の形式にした)予備的に不当利得を主張(預金の受入として無効であるならば、結局右手形の決済が原告の資金でなされたから、)した場合、東京地判三四・六・四下(民一〇・六・一一七四)は、これを予備的請求として取り扱った。

以上の諸判例は、いずれも、請求の変更又は併合を認めている。事件の実体は、一個と考えられる複合事実に基きその単一性が認められる一定額の金銭を目的物とする請求であると考えられるにもかかわらず。契約と不当利得（という法律要件に着目し、それ）を区別するのに必要な事実を、請求の特定のために必要と考えているのである。しかし、この考え方は、当事者に契約と不当利得との区別をなしうる能力を強いるものである。契約に該当する事実を不当利得から区別して陳述するためには、契約と不当利得の法的知識が必要である。あるいは、少くとも、契約の存否又は存続消滅の判断に必要な事実はなにかを知ることを当事者に要求するものである。

【212】「本件工事請負人タルXノ不履行ニ因リ請負契約カ解除セラレタルトキハ既成工事ハ注文者タルYノ所有ニ帰属シYハ該工事ニ相当スル金額ヲ支払フヘキ契約上ノ義務アルトコロ該契約ハ其後Xノ不履行ニ因リ……解除ノ結果既成工事ハ……Yノ所有ニ帰シタリト云フ」場合は、XがYに右金額の支払を求める訴において、Xは「該金額ヲ目シテ不当利得金ナリト主張シ原審モ亦之ヲ認容シタルモ這ハ単ニ法律上ノ見解ヲ誤リタルニ過キスシテ該請求ヲ認容シタル点ニ於テ結局相当ナルニ帰ス」（右は契約上の請求権である）（大判昭一〇・四・一五法学四・一五八三）。

契約に該当する事実が主張され、それが不当利得という呼称で呼ばれているときには、請求の単一性に変りはないことは、いうまでもないであろう。しかし、契約か不当利得かを判別しえない当事者は、その双方を、仮定的に主張するであろう。この場合と右【212】の場合とを区別する実益は、どこにあろうか。

（ヨ）　契約と不法行為

【213】Xの所有家屋に居住するYに対する一定額の金銭請求において、不法行為による損害賠償の主張を、賃借権があるならば賃料を支払えとの主張に変更することは、「正シク訴ノ変更タルニ紛無シ」（大判昭九・三・一三民集一三・二八七）（同旨、大判昭一五・二・七民集一九・三・一七三）。

【附】　債権仮差押命令申請事件において、債権者は、第一に賃料相当損害金を又予備的に賃料債権を被保全権利として主張したところ、賃貸借終了後の賃料相当の損害金債権を被保全債権と表示した仮差押決定がなされ、これに対する異議訴訟において、債権者が被保全権利は賃料債権であると主張した場合、この変更は、請求の基礎に変更を来すものでない（東京高判昭三〇・九・二九民集八・七・五一九）。

家屋に金を支払わないで、居住するという行為が、賃借権の不存在を前提すれば不法行為となり、その存在を前提すれば債務不履行となる（但し、請求は履行請求で、損害賠償請求ではない。）という場合である。賃借権の存否が法律問題である場合、法に明るくない原告として、仮定的に、両立しえない主張をすることは止むをえないことであろう。この場合にも、右判例は、請求の変更を認めている。請求の特定の要素として、法律要件が必要であると考えているのであろう。

【214】　一定金額の請求の訴において、原告Xが被告Y組合に昭和六年六月八日に右金銭を貸付けたとの主張に、Y組合の金銭出納事務担当者EがXを欺罔して右金銭をY借入金名義で受取ったから民法四四条にいわゆる代理人が其職務を行うに付他人に加えたる損害であるとの主張を予備的に附加することは、請求の基礎に変更なき請求の原因の変更である（大判昭一一・四・一五新聞三九七九・一六）。

【215】　銀行の外務員に貸した金の返還を銀行に対して求めた訴訟において、右外務員に銀行の代理人として金を貸したと主張し、予備的に、銀行の使用人たる右外務員に欺かれて金を交付してそれだけ損害を受けたと主張した場合、最判昭三三・一〇・一四（民集一二・一四・三〇九一）は、これを、請求の予備的併合として取り扱っている。

【216】　XはYが振出してAに交付した額面八二万円余の手形を割引いて割引金六八万円をAに交付した。XはYに対し、八二万円余の支払を訴求した。Xは手形金を主張し、予備的にY会社の経理課長Bの偽造手形による損害の賠償をBの使用者として支払うべきだとの主張を追加した。この場合、これは訴の追加的変更で

請求の基礎には変更はない（最判昭三二・七・一六民集一一・七・一二五四）（第二審で六八万円余が損害賠償として認められた）（三ヶ月・前掲二一三参照）。

【附】 手形奪取を原因とする手形金相当額の支払を求める訴訟において、訴状の請求原因における手形金の支払を求める旨の記載が準備書面において手形の奪取なる不法行為を原因とする損害賠償を求める旨の記載に訂正され訂正された部分のみ陳述された場合、請求の基礎に変更がない訴の変更である（東京高判昭三二・一〇・三〇判決時報八・一〇民二五六）。

右の三つの判例は、金銭の交付を受ける行為が、借受か騙取かのいずれかである場合である。借受ならば返還義務履行の請求であり、騙取ならば損害賠償請求である。いずれにせよ、請求額は同額であり、重複した給付は許されないであろう。しかし、右諸判例は、主張された法律要件の相異に着目している。

【217】 借地権売買代金の内金として交付した千百円を、損害賠償として請求する訴において、Gの借地権をYとFがXをあざむいてXに売りつけ千百円を騙取した不法行為の主張に、Gに代り借地権の売買契約を締結する権限がFになかつた場合には、Xの損害をYが賠償すると約束した旨の主張を予備的に附加することは、「新請求ノ併合」で「右請求ノ併合ニ因リ請求ノ趣旨ニ変更ヲ来サ」ず（大判昭一一・九・七新聞四〇三八・一二）（同旨、大判昭一八・三・一九民集二二・二二一但し、ここで「請求自体ノ変更」とは請求の趣旨の変更のことであろう）。

この事件では、Yの売買行為とYの損害賠償の約束との二つがある。

（タ） 手形行為と原因関係

【218】 金額請求の訴において、手形金の主張を、その手形授受によつて担保された貸金債権の主張に変えることは、「是則チ請求ノ原因ヲ変更シタルモノニ他ナラス」（大判昭八・四・一二民集一二・五八四）（同旨、札幌高函館支判昭二八・一〇・五民集六・九・五四三）（三ヶ月・前掲二一二）。

【219】 手形金請求の訴をその手形振出の原因関係をなす契約に基く金員請求の訴に変更することは、請求

の基礎に変更なき請求の変更である（札幌高函館支判昭二八・一〇・五民集六・九・四五三、東京高判昭三一・四・一〇下級民集七・四・九四二）（但し、その手形が新訴の債権関係に基いて振出されたかどうかは、単に原告の主張のみから判断すべきでなく客観的に判断されるべきである。前掲札幌高函館支判昭二八・一〇・五）（三ヶ月・前掲二一三）。

【220】「右約束手形金請求事件は、手形金の請求であり、本訴はその手形授受の原因関係である、売買取引上の債権に基く請求を主張するものであることが明確であるから、両者は請求原因を異にし、同一訴訟であると認めることはできない。」よって二重訴訟でない（京都地判昭二九・八・二三下級民集五・八・一三三四）。

【221】貸金債務の支払確保のために小切手を振出したという事実関係に基き、十四万円を請求した訴訟において、右小切手の時効消滅を理由とする利得償還の主張を、右貸金返還の主張に変更した場合、請求の基礎に変更なき請求（の原因）の変更である（最判昭三一・七・二〇民集一〇・八・一〇八九）（三ヶ月・前掲二〇六）。

右の諸判例は、分析をまつまでもないであろう。ただし、手形上の請求と原因関係上の請求の「右二個ノ請求ハ孰レカ一方ノ支払ニ依リテ他ノ債権ハ目的ノ到達ニ依リ当然消滅スヘキ関係ニ立ツモノト謂フヘク従テ訴訟物ノ価額ハ各請求額ニ依リ算定スヘキモノト解スルヲ相当トス然ラハ一ノ請求額タル金……ニ相当ノ百五十三円ノ印紙ノ貼用」は適法である（東京地判大一五・一〇・五新聞二六五一・一五）。

（レ）その他

【222】物の引渡の訴において、遺産相続により取得した所有権に基くとの主張を、右物件の返還請求権を相続したとの主張に改めることは、「ウサカ被控訴人ニ寄託シタル物件ニ付ウサノ遺産相続人トシテ其引渡ヲ求メントスル同一事実ニ関シ単ニ法律上ノ意見ヲ陳述シタルニ過キサルモノトス」（東京控判大九・一一・二〇評論九民訴五九八）。

【223】家屋の買受人がその家屋に付する賃貸借を承継し、これを解除しその明渡を求める訴において、承継について当然承継であるとの主張を合意による承継と改めても、「賃貸借ノ同一性ヲ失ハシムルモノニアラス従テ本訴ニ於テ被控訴人ノ主張スル賃貸人トシテノ権利ノ同一性ヲ失ハサルモノトス」（東京地判大一〇・一〇・二二評論一〇民訴五二八）。

明渡請求を理由あらしめる事実は、まず賃貸借の解除である。賃貸借を理由あらしめる事実はその承継である。承継を理由あらしめる事実は、当然承継又は合意承継である。これらの事実のうち、明渡請求の特定に必要な事実は、何某が何某から承継した何についての賃貸借の解除ということで足りるというのであろう（しかし、家屋の明渡請求は、家屋の特定だけで足りはしないか）。

【224】 地上権設定登記の申請において、訴外人との設定契約によって被告に対抗できる地上権を取得したとの主張を被告との直接設定契約によって取得したとの主張に改めるのは、「原告ノ請求原因ハ茲ニ全ク変改セラレタルモノナリト謂ハサルヘカラス……」（横浜地判大二(メ)二、裁判年月日不明、新聞八七〇・一一）（同旨、東京控判大六・九・二九新聞一三五四・二四）。

【225】 指図式手形の手形金請求の訴において、手形の交付を受けて所持人となつたとの主張を裏書譲渡により所持人となつたとの主張に改めた場合、「手形ノ権利関係ノ成立ニ影響ヲ及ホスヘキ新ナル原因事実ヲ主張スルモノニシテ……訴ノ原因ヲ変更シタルモノ……」（岡山地判大一五・一〇・九新聞二六三二・一六）。

【226】 抵当権設定登記後に登記された賃貸借の登記の抹消を求める訴において、民法三九五条但書の規定による解除の主張を、民法六〇二条の期間を超える賃貸借で抵当権者に対抗しえないとの主張に変更した場合、「右請求ノ変更ハ適法」（東京控判昭五・九・三〇新聞三一八三・一五）（同旨、東京控判昭八・二・二二新聞三五四九・一五）。

【227】 XのYに対する金銭債務履行請求の訴において、TがSから預つた金員の消費寄託債務につきYがTに保証契約をしたと主張し（Sの債権はXに帰属しているらしい）たのに対し、Tの債務の不存在を判示しながらTの債務消滅した場合にはじめてYがSに右金員を支払うべき旨の特約を認定してXの請求を認容するのは、「Xノ主張セサル請求ヲ認容シタルモノニ外ナラス……当事者ノ申立テサル事項ニ付判決ヲ為シタル違法ア」り（大判昭六・九・一五裁判例(五)民二一三）。

【228】 K銀行のYに対する株金払込請求権の行使として失権手続が行われ、KはYに対し株式競売不足額

請求権を有するに至り、これを譲り受けたXがYに対してその支払を求める訴において、信託譲渡を主張し、予備的に転付命令を附加した場合「Xノ旧訴ト新訴トハ何レモK銀行ノYニ対スル株金払込ノ請求権ヲ訴訟物トスルモノニシテ固ヨリ請求ノ基礎ヲ変更スルモノニアラス」（大判昭一三・三・二九民集一七・五二三）。

不足額請求を理由あらしめる事実は不足額請求権の譲受である。譲受を理由あらしめる事実は信託譲渡又は転付命令である。このうち、請求を特定する要素としては、譲受の理由たる事実も必要である、というのであろう。但し、二(一四)を参照せよ。

【229】　一定日にXがYに交付した二〇万円の返還を求める訴訟において、宅地売買予約の際の内入金の交付であつたが売買予約が無効だから不当利得であると主張し、控訴審で、地代家賃統制令に違反するところの右宅地の賃借の権利金であると主張した場合、これは請求の基礎に変更のある請求原因の変更である（東京高判昭三一・四・二五東高判決時報七・四民八〇）。

(2)　数個の主張された事実が、一が他に先行し、後行事実が先行事実の展開とみられるような場合

【230】　家屋明渡請求の訴において、将来賃貸借期間満了のときには更新を拒絶するから家屋を明渡すべきであると主張し、その後、訴訟係属中に、右期間が満了したので、現在家屋を明渡すべきであると主張した場合、「訴訟物たる権利が全く同一であり、訴の原因もまた同一であるから請求の基礎に変更のあることとはなら」ず「請求の趣旨の表現に異動はあつても請求の趣旨は同一であ」る（東京高判昭二六・四・三〇下級民集二・四・五七〇）。

「将来」の給付か「現在」の給付かは、請求の特定のために必要な要素ではない、というわけである。したがつて、

【231】 家屋収去土地明渡請求の訴において、債務の履行期が到来していないと認められる場合には、原告の請求が予めその請求をする必要のある場合にかぎり、請求を全面的に棄却せず、将来の給付を命ずる裁判をすべきものである（東京地判昭三〇・一二・七下級民集六・一二・二五六九）。

【232】 株金払込請求を失権株の競売後の株式競売不足額請求に変更するのは、不足額請求権は「即失権シタル従前ノ株主ニ対スル延滞株金払込請求ノ存続セルモノニ外ナラスシテ之ヲ以テ別異ノ権利ト為スヘカラス」であるから、「訴ノ原因ヲ変更シタルモノニ非ス」（大判昭二（オ）一〇三三、昭二・一二・二一新聞二八〇五・六、大判昭二（オ）一〇二五、昭二・一二・二一新聞二八一六・九）。

株式競売不足額請求権が延滞株金払込請求権の継続であるという考えは注目に値する。請求金額の減縮に止まるとでもいうのであろう。だが、競売の無効を前提とする株金払込請求と競売の有効を前提とする不足額請求とが主張された場合には、(1)（ル）と類似の問題がありはしないか。そうすると、【232】の場合と右の場合とは別扱いされるのだろうか。

【233】 「原告カ本件当初ノ口頭弁論ニ於テ建物明渡ヲ命スル判決ヲ求メタルモ其後ニ至リ該建物ハ倒壊ノ為メ動産ニ変更シタリトノ理由ニ基キ後ノ口頭弁論ニ於テ申立ヲ改メ其動産引渡ヲ命スル判決ヲ求メタルコトハ……適法……」（東京地判大七・六・六評論七民訴二四七）。

ところで、この「申立ヲ改メ」は、請求の変更を意味するか。

【234】 宅地上の建物を収去しその宅地を明渡すことを求める訴訟と、右宅地の換地予定地に移築された右建物を収去し右予定地を明渡すことを求める訴訟とは、二重訴訟の関係に該らない（換地予定地は換地として確定したものでないから）（富山地判昭二八・一〇・一九下級民集四・一〇・一四九四）。

明渡の目的物たる土地が物理的に異るのみならず、法的にも異るからであるというのであろうか。

もし、換地として確定したものであつたならばどうであろうか。

【235】 家屋収去土地明渡請求の訴で、建物買取請求権が行使された場合には、裁判所は、「宜シク右家屋ノ時価ヲ確定シ被上告人ニ於テ其ノ支払ヲ受クルト引換ニ家屋並土地ヲ明渡スヘキ旨ノ裁判ヲ為スノ要ア」リ（大判昭九・六・一五民集一三・一〇〇〇）。

それは、

【236】 「本訴請求ノ趣旨ハ……若シ……買取請求ニ因リ地上建物ノ所有権カ上告人ニ移転シタル場合ニ於テハ買取請求ノ結果上告人ノ支払フヘキ金員ト引換ニ地上建物ノ引渡並土地明渡ヲ求ムル請求ヲモ包含スルモノト解」しえられるからである（大判昭一四・八・二四民集一八・八七七）。

のみならず、

【237】 「かかる請求は本件における家屋収去土地明渡の請求に包含されているものと解するのが相当である」（最判昭三三・六・六民集一二・九・一三八四）。

一の**四**と対照せよ。

【238】 XがY_1から電話加入権を買受けたが、Y_2がこれを先に譲受けたとして自分名義に変更したりして、Xの電話加入権並びに名義変更請求権を侵害したので、XがY_1Y_2に損害の賠償を請求した訴において、Xは第一審で「Xが大正十三年五月十日Y_1より長崎郵便局電話第二一七五番の電話加入権を代金一千円にて買受け即時右代金を支払ひて其の占有使用も同時に之をXに移し……たるも当時其の加入名義の変更は……譲渡禁止期間中のものにして不可能なりし為其の名義変更のみは右禁止期間満了後に為すへき旨約定し居たるところ……」と主張し、控訴審では、「大正十三年五月十日XY_1間に一旦前記の如き売買契約成立し是と同時に其の効力発生したるに依り所轄郵便局に至り該電話加入名義変更の申請を為したるも譲渡禁止期間中に属する

の故を以て其の名義変更を許されざりし結果即日両者間に於て右契約を消滅せしめ新に禁止期間満了を条件とする売買契約を成立せしめたるところ……」と主張した。この両契約は「全然別個の契約なることは……明瞭……にして両者は之に依りて発生する法律関係の成立事実を異にするが故に従て前示の如く前者の契約によりて取得したる権利の侵害を後者の契約に依り取得したる権利の侵害に換ふるは訴訟上請求原因の変更と謂はざるべからざるところ……Xの当審において主張する原因事実に基く新訴は之を却下すべきものとす」（長崎控判昭三・六・四新聞二八五七・五）。

【239】 XのYに対する金銭請求において、YはKのXに対する債務を免責的に引受け、これをXY間で準消費貸借の目的とする契約が成立したとの主張を、右引受によるYの債務であるとの主張に変更することは、「請求ノ原因ヲ変更シタルモノ……」（東京控判昭一三・七・二八新聞四三一六・一〇）。

五　事実の単複

ここでは、次にいう場合をとりあげる。一回の又は一個の給付しか認められないようにみえるという意味で、一個の事案と考えられる場合であつて、しかも、その事案が数個の事実の複合であるとも考えられる場合であつて、しかも、その一部がある法律要件に該当し、他の一部は別の法律要件に該当する場合、又は、全部が数個の法律要件に該当する場合。

（一）一個の行為と二個の被害

【240】 Xが用水を引用するために設けた横堰をYが故なく破壊したために生じたところの復旧費用の賠償を求めたのに対し、右破壊行為が用水権侵害であるとして、右請求を認容することは、「上告人ノ請求セサル事物ヲ被上告人ノ責任ニ帰セシメタルノ違法アリ」（大判大八・四・一六新聞一五六七・二五）。

行為は単個の横堰破壊である。それにより、横堰所有権侵害と用水権侵害との二個の被害があつたのである。そこで、横堰の所有権侵害と用水権侵害とは異るというのであろう。横堰破壊行為が用水権侵害の手段になる場合でも右の二つは被害法益が異り、従つて、損害も異るから、各別に扱われねばならないのであろう。

【241】　建物収去という不法行為に基く損害賠償の訴で、建物の崩壊収去により建物につき存した抵当権が侵害されたとの主張に、収去方法が不適当のため建物の残余価格を喪失させたとの主張を附加したことは、「単純ナル事実上ノ申述ヲ補充スルニ止」る（大阪地判大五・一一・六新聞一〇九九・二四）。

これは被害の軽重の差にすぎないというのであろう。だから、賠償額の算定に影響を与えるに止まる、とでもいうのであろうか。

(二)　一個の過失行為における過失の種類

【242】　不法行為を原因とする損害賠償請求において、注射前の消毒不完全という過失の主張に対し、注射液不良の過失を認定した場合、一八六条に違背するということはできない（右事実は訴訟物を変更する事実ではないから）（最判昭三二・五・一〇民集一一・五・七一五）。

不法行為に該当する事実のうち、過失に該当する事実は、訴訟物の特定のために必要な要素ではない、ということなのであろう。

(三)　一個の行為と故意又は過失

【243】　「本件ニ於テ起訴者タル被上告人ハ上告人カ被上告人所有山林ニ隣接シタル自己ノ山林ノ立木ヲ訴外Iニ売渡スニ当リ能ク境界ヲ調査セスシテ本件伐木ノ存在スル被上告人ノ山林ヲ自己ノ所有林ナリト称シテ被上告人所有林ノ立木マテ売渡シタル事実ヲ掲ケアレハ之ニ因リテ請求ノ一定ノ原因ハ具備スルモノトス而シテ請求原因ヲ掲クルニ当リテハ以上ノ如ク権利関係ノ因リテ生スル事実ヲ記載スルヲ以テ足リ之ヲ不法行

為ニ付テ云ヘハ其行為カ行為者ノ故意若クハ過失ニ出テタル事実ヲ挙クレハ可ナルモノニシテ上告論旨ノ如ク行為カ故意若クハ過失ノ何レカ其一ニ原因スルコトヲ確定シテ主張セサルトモ請求ノ原因一定セサルモノト云フヲ得ス」（大判明四三・二・二民録一六・四五）。

のみならず、

【244】 原告カ故意ヲ原因トシテ請求スル場合ニ過失ニ基ク損害賠償ノ請求ヲ認容シ得ル（咸興地水興支判大一一・二・一六新聞一九二四七・一）（過失に該当する事実が訴訟資料として現われているならば、過失の認定をなしうるというのであろう）。

故意・過失という主観的（心的）要素は、請求を特定するための要素としては、必要ではない、というのであろう。そこでは、不法行為という法律要件に該当する複合事実のうち、故意・過失の相異は、訴訟物の特定の要素から除外されている。

（四） 一個の行為又は事故に基く一個の事案と数個の民法の不法行為の法条（（一〇）と比べよ）。

【245】 「被告国ノ作業タル軍艦周防ノ復旧工事中起重機ノ「ワイヤーロープ」カ切断シ之ニ吊シタル盤木カ墜落シタル為惨死シタル」ことを原因とし、死者の親族たる原告が損害賠償を求めた訴において、「本件損害ハ被告ノ被用者ノ業務執行上ノ過失ニ基クモノナル旨主張シナカラ後ニ至リ更ニ土地工作物タル起重機ノ設置又ハ保存ノ瑕疵モ亦損害発生ノ原因ノ一ナル旨附加シタル」も、「事実上法律上ノ申述ヲ補充シタルニ過キ」ず（広島地県支判大一三・六・五新聞二二八二・二〇）。

損害賠償請求としては依然として単個のものである、というのであるようにみえる。それには、事故が単一であることに着目したのではなかろうか。

【246】 X所有の船舶がある港の港務所吏員の指定により第一六号繋船浮標に繫船したところ浅所であった

ため船は擱坐し損傷を受けた。その損害賠償をY県に求めた訴において、Y県吏員の指定行為の不当を主張したところ、これに触れないで浮標の設置に瑕疵あることに基きXの請求を認容した。これは「到底当事者ノ申立テサル事項ニ付裁判シタル違法アルヲ免レ」ず（大判昭一〇・一〇・三〇裁判例(九)民二六八）。

ここで、設置の瑕疵とは、浅所に設置したことを意味するのであろう。してみると、その事実は訴訟に現われている。にもかかわらず、一八六条違反だとすると、認容された請求と主張された請求は異別であると考えていることになる。そうすると、【245】と矛盾するのではあるまいか。「繋船」（単一事故）に着目しないで、「指定行為」と「浅所への浮標の設置」とに着目したからであろう。

【247】 X対Yの損害賠償請求の訴について「Xは……当初は其請求の原因としてY自らX主張の如き根伐埋戻板打等の土工工事を為し因てYの故意又は過失によりXの建物に損傷を来したるを以て民法第七百九条によりYに対し之が損害賠償を求むる旨主張したるも後日……其主張をYは右土工工事を訴外Mに下請せしめたる処Yの注文又は指図に過失ありしを以てYに対し民法第七百十六条第二項により下請人の為したる結果に付注文者としての責を問ふ旨に変更したる」は……を以て「Xの右請求の原因の変更は許さるべきものとす」（大阪地判昭六・一一・一二新聞三三三九・五）。

【248】 自己が運転使用する自動車の運転を無免許の他人に命じて（ここに過失あり）行わせた者は、その他人の過失による運転により第三者に加えた損害を賠償する責任を、民法七一五条により、さらに、民法七〇九条により、負う（和歌山地判昭三二・八・一五下級民集八・八・一五二七）。

七〇九条と七一五条等に該当する場合には、それぞれ別異の請求が成立しうると考えているようである。「侵害行為」の単一性に着目しないで、法規の定める帰責のための視点の複数性に着目している。

【249】「本訴請求ノ原因トシテ主張スル所ハ株券発行ノ事務ヲ担任セル被告会社ノ被用者カ其ノ地位ヲ濫用シテ業務執行トシテ其ノ保管ニ係ル株券用紙ヲ使用シ同シク保管ニ係ル社長取締役印会社印契印等ヲ之ニ押捺シテ株券ヲ偽造シ又其ノ保管ニ係ル未交付株券ニ保管ニ係ル会社取締役印等ヲ押捺シ不正ノ裏書ヲ為シ是等ヲ行使シタルカ為原告等ニ加ヘタル損害ノ賠償ヲ被告会社ニ求ムルモノナリト謂フニ在リテ原告ハ之ヲ目シテ最初ハ民法第四十四条ニ所謂……損害ナリトノ意見ナリトシテ後民法第七百十五条ニ所謂……損害ナリトノ意見ニ更正シタルコトハ……単ニ法律上ノ意見ヲ更正シタルモノニ過キサレハ之ヲ以テ請求ノ原因不定ナリト謂フヘカラス」(松山地大洲支判昭四・七・三新聞三〇三六・一〇)。

【250】東京新聞社が名誉毀損の記事を掲載したことを原因とする慰藉料の請求を(不法行為の責を追求しているが七一五条による旨は述べていない)不法行為を理由として認容した判決は、民法七一五条の請求を認容した趣旨に出たもので、責任が民法四四条によるかこれと法律上別個の責任である民法七一五条によるかが不明確とはいえない(最判昭三一・七・二〇民集一〇・八・一〇五九)(三ケ月・前掲二〇七)。

では、本件で、民法四四条の責任を認めることは違法か。又、民法四四条の責任をも追及したならば、二個の請求の併合となつたか。請求の併合となると考えているとするならば、そのような考えは、【249】と相抵触するものではなかろうか。これも、事故の単一性に着目するか、帰責のための視点の複数性に着目するかの相異であろう。

(五) 一個の行為に基く一個の事案と、民法及び国家賠償法又は自動車損害賠償法の法条

【251】町の中学校の教員が生徒に加えた暴行により生じた損害の賠償を民法七一五条の規定により町に対して求めた場合、原告の主張しない国家賠償法を適用して原告の請求を認容することは弁論主義に反しない(民法七一五条に該当するとの主張は法適用の問題に対する原告の意見にすぎない)(福岡地飯塚支判昭三四・一〇・九下級民集一〇・一〇・二一二一)。

【252】 自動車事故のため身体を傷害し所有スクーターを大破した者の損害賠償請求訴訟において、原告はとくに自動車損害賠償保障法による旨を主張しなかつたのにもかかわらず、東京地判三四・三・二四（下民一〇・三・五四五）は、右特別法は当然適用があるとし、身体傷害による損害については右法三条により、その他の損害については民法七一五条により、賠償義務を認めた。

損害賠償義務の認否にあたり、どの法条によるかは、裁判所が職権で定めうる、という趣旨なのか。それならば、(四)の場合（とくに【247】【248】）も、同様であるべきではないのか。

（六） 事務管理と不当利得

【253】 金百円の返還請求において「Y及ヒKカ……鉱業権……ヲ入札シ其落札ノ決定ヲ受ケ公売代金ヲ完納シタルニ拘ハラス之カ移転登記ヲ為スニ要スル登録税金百円ノ納入ヲ為ササルニヨリXニ於テ職務執行上已ムヲ得ス一時之ヲ繰替支弁シ以テY及Kノ為メニ登録嘱託ノ手続ヲ了シ其ノ登録ヲ受ケタルニヨリ之カ返還ヲ求ムルモノナリト謂フニ在リテ請求権ノ因テ生シタル法律関係ノ基本タル事実其モノノ主張ニ至リテハ……終始一貫シテ敢テ毫末ノ変更ヲモ来セルコトナシ之ヲ事務管理ナリト称シ不当利得ナリト称シ将又国税徴収法施行規則第二十四条ニ基クモノナリト称スルモ要ハ単ニ右事実関係ニ対スルXノ法律上ノ意見ヲ陳述シタルニ止マリ之レカ為ニ該事実関係ニ何等ノ影響ヲモ及ホスヘキモノニアラス」（東京地判大四・一二・二八新聞一一六一・二二）。

この事案は、二個の事実の場合ではなく、一個の事実が二個の法律要件に該当する場合でもなく、一個の事実の法的構成がどうあるべきかの問題である場合であるようにみえる。問題は、訴訟物の特定のために必要な要素として、第二の場合には、法律要件に着目し、第三の場合には事実に着目するのはなぜか、である。

（七） 債務不履行と不法行為

【254】 原告Xは川の流水を利用して水車の営業をしていた。Yがその後水車を新設した。この新設に際し、Xを妨害しない程度に水車を利用することをYはXに約束した（甲一号証）。ところが、Yは「追追右堅切ヲ高クシテ云々水流ヲ阻害シ自然Xノ水車運転ヲ妨」げた。そこでXは堅切縅縮（原状回復）の訴を起した。「契約ニ因ル債権関係ト不法行為ニ因ル債権関係トハ全ク事実ヲ異ニスルモノナレハ一ノ請求ニシテ斯ノ如ク相異ナル二個ノ原因併存ス可キ筈ナク若シ二個ノ原因ヲ併テ申立タルモノトセハ請求ノ原因一定セサルモノナルヲ以テ……」（大判明三六・三・六民録九・二五八）。

ある単一の行為が、債務不履行の行為であるようにもみえ、同時に、不法行為でもあるようにみえる場合、請求権の複数を認めず、法条競合であるとするならば、それを債務不履行と主張するか、不法行為と主張するかは、法的呼称の正誤の問題となるであろう。だが請求権の複数を認めるならば、請求の単複とどう関係するかが問題となるであろう。右の判例は、右の場合に、請求の複数を認めているようでもあり（「二個ノ原因」云々）、他方、請求の単一を認めているようでもある（「一ノ請求ニシテ」云々）。

【255】 「本訴請求ノ原因タル事実ハ上告人カ株式名義書換ヲ為スヘキ義務アルニ拘ラス之ヲ為ササルカ為メ被上告人ニ生シタル損害ノ賠償ヲ請求スル趣旨ナルコトハ訴状ノ記載ニ依リ明白ニシテ右事実ハ固ヨリ一定セルモノナリ被上告人ハ法律上ノ意見トシテ該原因ヲ不法行為ナルカ如ク訴状ニ記載シ第一審法廷ニ於テ之ヲ義務不履行ナリト釈明シタレハトテ原因タル事実ノ一定ナルニ毫モ妨アルコトナシ」（大判明四一・二・一五民録一四・一〇二）。

「右事実ハ固ヨリ一定」している。それでは、右一定の事実に基く損害賠償請求は単個であるか。単個であるといいたいらしい（不法行為とか、義務不履行とかは、「法律上ノ意見」といっている）。行為の単一性に着目している。

【256】 運送会社の被用者の不注意により運送品に生じた損害の賠償請求の訴において、被用者の不法行為に基く損害との主張を、会社の運送契約上の義務違背に基く損害との主張に改めることは、「事実上又ハ法律上ノ申述ヲ補充又ハ更正シタルモノト目ス可キニアラス明ニ訴ノ原因ヲ変更シタルモノト認ム可キヲ以テ…」（東京控判大六・五・三一新聞一三〇七・二八）。

右判決においては、賠償請求は複数であると考えられている。法律要件の複数性に着目しているのである。

ところが、

【257】 精米取引に関する受託者が擅に手仕舞したことにより蒙つた損害の賠償請求の訴において、委託者が不法行為の主張を債務不履行の主張に改めることは、「是レ単ニ法律上ノ意見ヲ更正シタルニ過キサレハ之ヲ以テ訴ノ原因ヲ変更シタルモノト謂フ可カラス」（東京控判大九・四・七評論九民訴一三一）。

「事実」は一定し、「損害」も一定しているからである。おそらく、請求の変更もない、といいたいのであろう（「法律上ノ意見」の更正の問題としてとらえているから）。【255】の系統に属するといえる。

【258】 「本訴ノ原因トシテXノ主張スル処ハYノ本件貨物ヲ貨物引換証ト引換ニアラスシテ訴外Iニ交付シタル一面債務不履行ナルト同時ニ他面不法行為ナルヲ以テ此両者ヲ併セ主張シテYニ対シXノ蒙リタル損害ニ付之カ賠償ヲ求ムト謂フニ在ルヲ以テ按スルニ……「債務不履行ノ事実ヲ以テ訴ノ原因ト為スト不法行為ノ事実ヲ以テ其原因ト為ストハ法律関係ヲ構成スル事実ノ異ナルコト洵ニ明瞭ナリ而シテ一ノ訴ニ於テ斯ノ如ク相異ナレル二箇ノ原因事実ヲ併セ主張スルトキハ該訴ハ其請求ノ原因一定セサルモノナリトス」（東京控判大一二・一・一七評論一三民訴三六）。

【259】 「原告ハ被告ニ対シ同人カ本件寄託物ノ中一部ヲ他人ニ引渡シテ本件寄託契約上ノ義務ノ一部ノ履行

不能ヲ惹起シタルヲ以テ其履行不能ヲ原因トスル損害賠償ヲ求ムルト共ニ一方ニ於テ右寄託物ノ一部ヲ被告使用人ニ於テ過失ニ基キ之ヲ他人ニ引渡シテ紛失セシメ因テ以テ原告ノ右寄託物ニ対スル所有権ヲ侵害シタリト謂フ不法行為ヲ原因トシテ之カ損害賠償ヲ請求スルモノナルコトハ……互ニ矛盾シ相抵触スルモノニ非スシテ……各其発生ノ原因ヲ異ニセル互ニ独立シタル二個ノ権利ニシテ其孰レノ一ヲ主張スルト将又之ヲ併セ主張スルトハ全ク原告ノ任意ニ属シ……」（東京地判大一四・四・二五新聞二四四三・一三）。

再び、法律要件の複数性（債務不履行の要件と、不法行為の要件と）（「法律関係ヲ構成スル」事実の異なること云々）に、眼を奪われたのである。

【260】「……請求権ノ因テ生スル確定ノ法律関係二箇以上ヲ請求ノ原因トシテ主張スルコトヲ妨ケサルモノ……本件ハ被告会社カ貨物引換証ト引換ニ非スシテ本件貨物ヲNニ引渡シタル行為カ一面ニ於テハ本件貨物ニ対スル原告ノ所有権侵害ノ不法行為トモナリ他面ニ於テハ本件貨物運送取扱ニ付被告カ原告ニ対シ負担シタル債務ノ不履行ニモ該当スル所謂請求権競合セル場合ニシテ原告ハ此二個ノ法律関係ニ基キ本件貨物ノ売買価格ニ相当スル損害ノ賠償ヲ求ムルニ在ルコト……明白ナレハ本訴ハ其請求原因一定セルモノ……」（東京地判大一五・一〇・一一評論一六商二九五）（同旨、釧路区判昭二・九・一二評論一六民訴六三一）。

法律関係としては二個が主張されても、事実が一個である場合には、請求原因の定不定という視点に立つときは、事実に着目して、請求原因は事実が一定なるがゆえに一定であるというのである。そうすると、法律関係に着目して、右の場合には、訴訟物が二個存するとすると、請求原因は一定だが訴訟物は二個あることになる。これは、旧法時代には、前述（一の五）のようにありえたことであった。しかし、現行法では、請求原因は一個の訴訟物の特定のための要素をいう。そこで、

【261】XはSに米を売り、N運送店に右米を引渡し、荷受人をS到達地取扱人をY運送店としてNに運送を委託し、Nは貨物引換証をXに発行したが、Yは貨物引換証と引換せずに、Sに米を引渡した。Xは右貨

物引換証により銀行に委託して荷為替を組み荷為替金の割引を受けたが、Sからの荷為替金取立が不能となり、銀行に荷為替金、割引料、遅延損害金を支払わざるをえず、損害を蒙った。「請求原因ノ一定カ要求セラルル所以ハ訴訟物ノ同一認識標準ヲ明カニスルノ必要ニ出ツルモノナルヲ以テ所謂原因ノ一定トハ一ケノ訴訟物ニ付テ之ヲ謂フニ過キス……本訴ニ於テ原告ハ所有権侵害ニ因リ不法行為ヲ原因トスル損害賠償請求権ト到達地取扱人ヨリ荷送人ニ対スル債務ノ不履行ヲ原因トスル損害賠償請求権トヲ併セ主張スルモノニシテ偶々右両個ノ請求権カ同一ノ損害ノ塡補ヲ目的トスルモ訴訟物トシテハ二ケ併存スルモノナルコト……明白ナレハ……」(東京地判昭四・三・六新聞三〇一四・九)。

【262】 XはYに対し不動産を賃貸していたが解除した。Xは不法占有を理由として明渡と損害金の請求の訴を起し、勝訴したが、損害金請求は取下げた。Xは本訴で賃貸借終了による明渡が遅延したことを理由とする賃料相当の損害金を請求した。

「目的ヲ同クスル二個ノ請求権ニ付其ノ一カ目的達成ニヨリ消滅シタルトキハ他方モ之ニヨリテ消滅スヘキハ固ヨリ所論ノ如シト雖一方カ未目的ヲ達成セサル限リ仮令之ヲ達シ得ヘキ状態ニアリ且債権者ノ行為ニヨリ達成セサル場合ト雖他方ハ消滅スルコトナシ而シテ不法行為ニ因ル損害賠償請求権ト債務不履行ニ因ルソレトハ各其ノ成立要件ヲ異ニシ別個ノ請求権ナルコト勿論ナルヲ以テ」訴も別個である(大判昭一一・一二・二二民集一五・二二七八)(同類の事件につき、大判昭一五・二・七新聞四五二四・一三は請求の併合と把えている)。

【263】 不動産仮差押異議事件において、被保全権利としての金銭請求権につき、債務不履行に基く損害賠償の主張に、民法五六一条の原状回復請求の主張と不法行為に基く損害賠償の主張とを追加した場合、それは請求権の適法な追加的併合である(東京地判昭三三・五・六下級民集九・五・七七七)。

【264】 同一事故に基く損害賠償請求において、債務不履行を主張し、予備的に不法行為を主張する場合、請求の併合である(熊本地八代支判昭三五・一・一三下級民集一一・一・四)。

以上のように、この問題に関しては、判例は、はじめは、動揺を示していたが、ついに、訴訟物の特定の要素として、法律要件を採る方向に固まってきたのである。

(八)　不法行為と不当利得

【265】「本訴ノ請求原因ハ被告ハ原告カ家督相続ニ因リテ取得シタル原告先代………ノ………整理公債証書額面金五百円券一枚ヲ訴外Mニ対スル貸金ノ担保トシテ質権ヲ設定シタリト称シ競売ノ末五百三十五円ヲ取得シタルヲ以テ該金員ノ返還並ニ之ニ対スル損害利息ノ支払ヲ求ムルニ在ルコトハ訴状ノ記載並ニ原告代理人カ口頭弁論ニ於テ演述シタル所ニ照シ明カニシテ其事実関係ハ一定セルモノト認メ得ヘク若シ夫レ該事実関係カ不法行為ニ適応スルカ若クハ不当利得ニ該当スルカノ法律関係ハ強テ之ヲ訴状ニ掲ケ若クハ口頭弁論ニ於テ演述スルコトヲ要セ」ず(大阪地判明四三(わ)一六四、裁判年月日不明二五・二二新聞八)。

「事実」の単一性に着目しているわけである。訴訟物も単一であるという趣旨である。不法行為か不当利得かの判定は、裁判所の専権に属するというのであろう。法的判断を蒙らないで、事実の単一性を認識することが可能であり、訴訟物を特定することが可能である、かのように考えているようにみえることは、注目に値する。

【266】水利権確認並妨害排除請求の訴について、

「一箇ノ請求ニ関シ二箇ノ相異ナリタル事実ヲ主張スルカ如キ例之物ノ所有権ヲ主張スル場合ニ一面売買ニ依リ之ヲ取得シタリト云ヒナカラ他ノ一面時効ニ依リテモ尚之ヲ取得シタリト云フカ如キハ又損害ノ請求ヲ為スニ当リ其請求権ハ不法行為ニ依リ生シタリト主張スルト同時ニ尚不当利得ニヨリ発生シタリト云フカ如キハ即チ請求原因ノ一定セサルモノニシテ不適法ノ訴ナリトス而シテ本訴原告ノ主張スル所ニ依レハ原告ハ本訴請求権ハ一面慣行ニ基キ発生シタリト云ヒ他ノ一面契約ニ依リ生シタリト云ヒ…二箇ノ相異ナリタル事実ニ

帰セシムルモノナレハ本訴ハ原因不定ノ訴ニシテ固ヨリ之ヲ許容スヘキモノニアラス」（奈良地判大二（ワ）八一、裁判年月日不明、新聞九三八・五二）。

「一箇ノ請求」に関し「二個ノ相異ナリタル事実」を主張する場合と、とらえている。請求は一個と考えたい。しかし事実が二個だと請求は一個と考えにくい。そこで、原因不定で不適法、と考えたくなつたのであろうか（【72】をよみ）。

【267】「本件ハ控訴人カ被控訴人所有ノ山林ノ立木ヲ他人ニ売却シテ之ヲ伐採セメシ被控訴人ノ立木ノ上ニ有スル所有権ヲ侵害シテ被控訴人ニ生セシメタル損害ノ賠償ヲ求ムルニ在リテ権利侵害ニ依ル不法行為ヲ請求ノ原因トナスモノナルコト……明ナルニ前示訴訟事件ハ控訴人カ被控訴人ノ前主又ハ被控訴人ノ財産タル立木ヲ売却シテ其買主ヨリ取得シタル代金ヲ法律上ノ原因ナクシテ他人ノ財産ニヨリテ得タル不当利得トシテ其返還ヲ求ムルニ在リテ不当利得ヲ請求原因ト為スモノ……ニシテ不法行為ト不当利得トカ其事実関係ヲ異ニスルコトハ疑ナキヲ以テ本訴ト前示訴トハ其請求原因ヲ異ニスルモノニシテ本訴請求ハ未タ権利拘束ト為ラサルモノト謂フヘシ」（東京控判大八・九・三新聞一六八二・一八）。

「不法行為ト不当利得トカ其事実関係ヲ異ニスル」という考え方は、事実の複合態を、法律要件という視点に立つて、眺める、という姿勢を、その根本に、有しているのである。

【268】町村組合YがX所有の二三町歩余の山林の立木を公売しXが立木を喪失したという事実に基く、二千二百円余の不当利得金返還請求の前訴と不法行為に因る一万七千円余の損害賠償請求の本訴とは、当事者が同一であるが、「訴訟ノ目的物ヲ異ニスルノミナラス又其請求ノ原因ヲモ異ニスルヲ以テ権利拘束ノ抗弁ヲ提出スルコトヲ許」さず（大判大九・六・一九民録二六・一〇一九）（二千二百円余は一万七千円余の一部ではないとXは主張している）。

この事件では、前訴の目的物たる金銭と後訴の目的物たる金銭が、全く別物であると、把握されているところに、特徴がある。給付の目的物が別異であれば、給付請求もまた別異であることには、異論はないであろう。

【269】 XがYから買った土地をYがXに引渡さずAに小作させAから小作料を受領したので、右小作料と同額の損失を蒙ったとし右金銭支払をXがYに求めた訴において、

「前記損失ノ原因ヲ不当利得若クハ不法行為ニ因ル損害ナリト主張シタル……モ這ハ単ニ……自己ノ法律上ノ見解ヲ申述更正シタルニ過キスシテ前掲履行遅引ニ因ル損害賠償ナル原因事実自体ハ毫モ変更シタルモノニ非ス」（東京控判大一四・八・一〇新聞二四五八・七）。

「事実」の単一に着目せざるをえないのは、給付の目的物が単一であると把えるのが妥当であるからではあるまいか。

【270】 「家屋をYが使用収益した利益をXに返還することを求めた訴訟で、Xが家屋の売買契約の解除を主張し、かつ、Yの不法占拠による損害金であると主張している場合、Xは、不当利得返還請求権と損害賠償請求権の競合して成立すべき場合に後者を主張したわけではなく、本来不当利得返還請求権のみが成立すべき場合に、該権利を主張しながら、その法律的評価ないし表現を誤ったにすぎず、その求めるところは前記使用収益による利益の償還にほかならないから、これを一種の不当利得返還請求と解することは何ら違法ではない」（最判昭三四・九・二二民集一三・一一・一四五一）（二の〔二一〕と比べよ）。

これは、訴訟物は単一である、ことを前提としての理論である。単一な訴訟上の請求が、いかなる請求権が認められることによって認容されるかの問題である。訴訟物は単一である、と断定する根拠は？「本来不当利得返還請求権のみが成立すべき場合」だからである、というのである。ここに、ま

だ、法律要件にこだわつている、という色合がある。他方、不当利得か不法行為か又はそのいずれでもあるか、は、民法法規の相互関係の問題であつて、事実の問題ではない。ところで、請求原因は、事実の問題なのである。

さらに、債務不履行と不法行為については、本判旨と同じように考えられるわけにはゆかないのであろうか。

（九）　債務不履行と不当利得

【271】　XのYに対する金銭請求の訴において、Xから傭船し傭船料も既払であるところのYが、濫りに港に停船しないという義務の不履行により生じた損害の賠償請求権と相殺すると、主張したところ、原審は、濫りに停船をしたという事実により、停船時間中は運送行為をしていないから、この時間中の傭船料は不当に支払を受けている、という結果が生ずるから、右の主張は不当利得返還請求権と相殺するとの主張であるとしてXの請求を棄却したが、これは、「Yノ主張セサル事実ヲ基本トシテ判断シタル失当アルモノト謂ハサルヘカラス蓋シ……両者ハ其債権ノ本質数額等元ヨリ同一ニアラサルヲ以テ偶々本訴ニ於テYノ主張債権額カ不当利得額ニ一致シタリトスルモ之ヲ以テ同一債権ニ対スル法律上ノ見解ヲ異ニシタルニ過キサルモノト解シ得サルヤ論ヲ俟タス」（大判大九・二・二新聞一六八三・二〇）。

「濫りに停船した」という単一事実に因つて、一方が利得し他方が得べかりし利益を喪失した場合に、法律要件に着目し法律効果に着目するならば、「債権ノ本質数額等元ヨリ同一」でないことは、いうまでもない。

【272】　XがYから買受けた土地をYは不法に使用収益してXに引渡さなかつたことを原因として、XがYに対し金銭請求をした訴において、前訴ではXはYの使用収益による利得の返還を主張し、後訴では、土地

引渡義務の不履行により生じた損害の賠償を主張した場合、「前訴判決ノ既判力ハ後訴ニ何等ノ影響ヲ及ホスモノニ非ス」（東京控判大一三・一一・四評論一三民法一〇〇一）。

（一〇）一個の事案と二個の不法行為（(四)と比べよ）

【273】三才の子供が電車と衝突したことに基く損害賠償の訴において、「被控訴市ノ被雇者タル運転手ノ過失ニ基クモノナリト主張シ乍ラ当審ニ於テハ控訴人ノ負傷ハ被控訴市ノ電車設備ノ不完全ナルニ基因スト主張シタル」場合「前者ハ被控訴市カ被雇者ノ選任及監督ニ付キ適当ナル注意ヲ為サザリシ過失アルコトヲ云為シ後者ハ被控訴市カ適当ナル電車設備ヲ為サザリシ過失アルコトヲ主張スルモノナルヲ以テ両者共ニ控訴人ノ本件負傷ハ被控訴市ノ過失ニ基クモノナルコトヲ原因トスルモノニ外ナラス」よつて「単ニ事実上ノ申述ヲ補充シタルモノ……」（大阪控判大八・二・一五新聞一五四九・一七）（道路を照明する燈火のないところで、きわめて微弱な光力の電車の前照燈に依存して運転していた）。

運転手にも過失があり、電車設備にも不備があつて、ある損害を惹起した、という場合は、事故としては単一であるが、それが数個の異る事実の複合であり、しかも、そのそれぞれが、独立単個のものとして起つた場合でも、損害の原因たりうる場合なのである。したがつて、法律要件に着目すれば、請求の複数を考えることは、不可能ではない。しかし、右判決は「市ノ過失ニ基ク」という最大公約数的事実に着目して、請求を単一と把握したのである。

【274】Y会社はその取締役M名義でS宛の五通の乾精繭の預証券質入証券を発行し、XはSより其の証券により質権の設定を受けSに金円を貸与したが、質権を実行し弁済を受けえず損害を蒙つた。XはYに対し、右の損害の賠償を訴求したが、前訴では、「其証券ニ掲クル繭ノ内一部ハ現存セスシテXハ其部分ニ対シ質権ヲ実行シ弁済ヲ受クルコトヲ得ス即チXハY会社ノ詐欺ノ行為ニ因リ損害ヲ被リタルヲ以テ其賠償ヲ求ム」

と主張し、本訴では「Mカ他ノ取締役Sニ宛テ監査役ノ承認ヲ経サル無効ノ預証券質入証券ヲ発行シXヲシテ之ヲ信シテ金銭ヲ貸与セシメXニ損害ヲ被ラシメタルヲ以テ其損害賠償ヲ求ムト云フ」のが請求原因である場合には、いずれも不法行為を原因とするものであるが、「不法行為ノ原因トシテ主張スル事実ハ前訴ニ於ケルト相違セリ……故ニ本訴ト前訴トハ其請求原因ヲ異ニスルモノト云ハサルヲ得ス」、よつて、本訴は一事不再理として排斥されるべきでない(大判大七・一・二二民録二四・四五)。

右判決の場合に、どうして、最大公約数的事実を発見すべく努力しないのだろうか。現存しないものについての証券の発行と監査役の承認を経ない証券の発行という、細目的事実の相異になぜ着目するのであろうか。

【275】 銀行預金者の損害賠償請求事件において、取締役又は監査役としての任務を怠り社員の横領消費を防止しなかつたため被つた損害を求める旨の主張に、右事実を知り又は知り得べかりしにかかわらず虚偽の貸借対照表を公告して損害を加えたとの主張を附加しても「新ナル訴訟物トシテ請求シタルモノナリト認ムルコト能ハス民事訴訟法第百九十六条第一号ニ所謂訴ノ原因ヲ変更セスシテ事実上又ハ法律上ノ供述ヲ補充又ハ更正スル場合ニ該当スルモノナリ」(大阪控判大一五・六・八新聞二五七六・八)(【122】と比べよ)。

横領費消の不防止と虚偽の貸借対照表の公告という、細目的事実には、訴訟物の特定の要素という視点からは、着目しないことも、右判決のように、可能なのである(右判決は、請求の変更もない、という趣旨であるといえる)。

【276】 建物所有権の侵害による損害賠償を求める訴において、抵当権設定登記により侵害されたとの主張を、抵当権実行の結果なされた所有権取得登記により侵害されたとの主張に変更した場合、「前示請求及請求ノ原因ノ変更ハ……」(東京地判昭七・七・二九評論二一民訴三八二)。

右判決が、請求の変更を認めたのは、侵害行為(抵当権設定登記と所有権取得登記)が数個あつて、それらが、時を異にして、行われたからなのであろうか。それならば【275】と比べて、どうちがうのであろうか。

【277】税務署長がXに対し違法な公売処分をし、Kが落札し、公売処分取消が遅れたため、Kは目的物を他に売却し、もつてXが損害を蒙つたので、その賠償を国に対し求めた訴において、原告が、違法な公売処分に基づく所有権の喪失という不法行為を主張しながら、他方右公売が取消されたことを認めた上、右取消の遅延に基づく不法行為を主張する場合には、その主張の全趣旨から、前者は単に事情として述べたものとみるのが相当である（東京高判昭三二・一二・二四 下級民集八・一二・二四二六）。

（一二）一個の事案と二個の行為

【278】HのSに対する一五〇〇円の債権のうち八〇〇円の支払請求の訴において、右一五〇〇円の債権は原告が譲受け、Sに代つて被告が支払うこととなり、原被告間にそのうちの八〇〇円につき準消費貸借契約が締結されたとの主張を、右八〇〇円については、Sを借主とする準消費貸借に改め被告がこれを連帯保証したとの主張に改めた場合、右準消費貸借契約と右保証契約とは「全ク其性質内容ヲ異ニスル別個ノ契約ナリト謂フ可ク……請求ノ原因ヲ異ニスルモノナルカ故ニ……訴ノ原因ヲ変更シタルモノニシテ……新訴ハ不適法……」（長崎控判昭四・七・一五 新聞三〇・一二・一二）。

右の事件においては、いわば、最大公約数的事実としては、当該八〇〇円が債務の目的であることしかない。この八〇〇円が債務として被告に帰属するに至つた原因は一つしかなかつたのであろうが、主張としては、二つの形になつている場合に、その「形」に着目しているわけである。

【279】連帯債務者の一人が他の債務者に対して償還を求める訴において、債権者から債権を譲受けたとの主張を、債権の弁済をしたとの主張に改めた場合、「他ノ連帯債務者ヲシテ共同ノ免責ヲ得セシメタリトスル点ニ於テ二者異ナルコトナケレハ……請求ノ原因ヲ変更シタルモノ……ニ非ス……畢竟弁済ニ関スル事実上

ノ供述ヲ更正シ請求ノ趣旨ヲ明確ニ為シタルニ過キサルモノ」である（大判昭一〇・一二・二八裁判例（九）民三六五）。

右の事件においても、最大公約数的事実は、債務の目的物が一定のもので、その債務が消滅したこと、だけである。【278】と異なり、この事実に着目している。

【280】 XはY無尽株式会社の株式を株式申込証により申込み、二四株を引受け、AのY会社に対する無尽金債権（一四八三円）を譲受けて、右債権と右株式払込債権（一二〇〇円）とを相殺することによつて、右株式の株金を支払つたが、その支払額の返還を求める訴を起し、株式申込証の無効を原因とする不当利得金返還の主張を、相殺無効を原因とする無尽金の支払の主張に改めたことは「終始同一ノ事実上ノ主張ヲ維持シタルモノニシテ……所謂法律上ノ申述ヲ更正シタルニ止リ固ヨリ民事訴訟法第二百三十二条ニ違背スルモノト謂フヲ得ス」（大判昭一一・一一・一三民集一五・一九九一）。

最大公約数的事実は、問題の金は、特定の一二〇〇円であることである。不当利得金請求ならば一二〇〇円が全額であるが、無尽金請求ならば一二〇〇円は一部である。にもかかわらず、「法律上ノ申述」の更正であるとみている。だから、請求の基礎に変更がないのはいうまでもなく、請求の変更もないと考えているのではあるまいか。そうすると、この判決は注目に値する。

【281】 H会社の発起人Yの願によりXが右会社の株式を引受け五千円をYに交付しYが右株式を代金五千円で引取るという契約に基き、XがYに五千円を請求し、五千円は株式売買代金であるとの主張を、消費貸借であるとの主張に変更することは、「譲渡代金債権ヲ訴訟物トスル旧訴ト右貸金債権ヲ訴訟物トスル新訴ハ」「訴ノ変更」である（東京地判昭一三・七・三〇新聞四三三一・八）。同一事件につき、同旨（東京控判昭一五・九・一一評論三〇民訴六〇）。

Xの請求する金銭は単一の五千円である。XがYに金を貸して返済までXが株主名義を保有するという約束と、Xが一旦株主となりその株式をYに売却するという約束とは、事実としては複数であろう。しかし、現実には、そのどちらかである場合であり、双方が予備的に主張されているとみることができる。しかも、YがXにその五千円を支払うことについては一致しているのである。つまり、五千円という金が問題であるということが最大公約数的事実である。しかし、右判決は、【280】と同型の発想をしていない。（主張された）法律要件の複数性に着目している。

【282】Xが銀行に対する預金債権と同額の金銭をYに請求し、Yが銀行の右預金払戻債務を保証したと主張し、予備的に、YはXから右預金債権を譲受けたからその代金を支払えと主張した場合、大判昭一七・五・四（法学一二・一二五七）は、これを二個の請求の予備的併合と考えている。

【283】「動産引渡請求訴訟で、目的物を買受けた上これを売主に賃貸し、さらに、これを解除した、と主張し、さらに、かかる法律形式をとる譲渡担保でその担保権行使としての換価処分のために引渡を求める必要があると主張した場合、この両者の主張は請求の基礎に変更がない」（最判昭二八・四・二四判タ三〇・四〇）（つまり、請求の変更ではある――筆者）。

【284】「(イ)金一六万円余の請求訴訟において、被告が衣料品市場で衣料品を購入した際にその代金を立替えたその残金であるとの主張を、原告が右衣料品を被告に売渡した売買代金であるとの主張に変更した場合には、それは請求の基礎に変更のない、請求原因の変更による交替的訴の変更である」（最判昭二九・二・二六民集八・二・六三〇）。

主張された事実は単一にみえ、主張された法律要件は（二者択一の関係にある）二個にみえるとき、右の三つの判決に共通なのは、これを請求の複数と把えている、ということである。

【285】YがX所有の建物を使用して営業しXに一定金銭を支払うという契約（らしい）に基き、XがYに一定金銭の支払を求める訴において、Xは右契約を共同経営・配当金支払契約と主張し、一定金銭を配当金と主張したが、裁判所は右契約は賃貸借を仮装したものであると認定した場合、これは、法的性質についての見解

の問題ではなく、「Xが訴訟物を特定する事実として主張した事実は、原判示の仮装行為たる共同経営・配当金支払契約であって、原審認定の隠匿行為としてなされた賃貸借契約の如きは、そもそもこれとは別個の事実に属し、しかもXにおいてこれを否定した事実であるから、……後者の事実によって上告人の請求の当否につき判示するところのなかったのは、むしろ正当であって」一八六条に違反しない（最判昭三〇・一二・八裁判集民二〇・三七三）。だが、もし、賃貸借契約を予備的に主張したならば、裁判所は、請求の併合を認定するであろう。「別個の事実」といっているからである。

【286】　甲は乙から物品の寄託を受けるとともに保管料は所持人が支払う旨記載してある倉荷証券を発行し、乙は丙に右物品を売り渡すとともに証券を裏書譲渡した場合、甲が丙に対し右事実を請求原因として保管料の支払を求める請求において、裁判所が丙は乙の保管料支払債務を引き受けたものであると認定しても、「本件の訴訟物が、本件寄託契約上の保管料等の債権であること明らかであり、またこの保管料等の債務が所論のように丙の固有の債務たることを主張しているものとは認められない。そして原判決は、結局丙が乙会社から承継した保管料等の債務の存否を判断したのであるから、これを目して当事者の申し立てない事項につき判断したと解することはできない。」（最判昭三二・二・一九民集一一・二・二九五）。

保管料債務の単一性が前提とされているようにみえる。その単一性は甲乙間の寄託契約に由来する。この発想は、最大公約数的事実としての一定額の金銭に着目し、これを請求を特定する要素として考える、という考え方に通ずるものがある。

【287】　国が滞納処分としてMのYに対する七一三、六二一六円の債権を差押え、その支払を求める訴において、右債権は貸金債権であるとの主張を、控訴審で（第一審国勝訴）O銀行のYに対する貸金債権につきMがYのための保証人としてYのためOに弁済をしてその結果取得したYに対する求償権であるとの主張に改

めた場合、「この両個の債権はその権利関係の当事者と金額とが同一であるというだけでその発生原因を異にし全然別異の存在たることは多言を要しない。」だから訴の変更があり、新訴もまた理由がある場合にも、控訴棄却の判決はなしえない（最判昭三二・二・二八民集一一・二・三七四）（【57】に同じ）。

【279】の事件と、ある意味で、似ていると思われるが、結論は、反対になつている。

【288】「一定の酒の販売代金請求訴訟において、Xの酒の販売代金をYが使いこみ、YX間に右金額につき準消費貸借契約が成立したと主張し、控訴審で、これを撤回し、訴外AからYが酒を買い、XYA間にYのAに対する酒の買受代金債務につきXを新債権者とする更改契約が成立したと主張し、予備的に、YとAとの間に右酒の買受代金債務につき準消費貸借契約が成立し、この準消費貸借契約上の債権をAからXが譲り受けたと主張した場合、これは請求の基礎に変更のある請求原因の変更である」（東京高判昭三三・九・三〇判決時報八・一〇民二三四）（三ケ月・前掲二〇六）。

【附】「自動車の引渡請求権を被保全権利とする仮処分申請事件において、自動車の所有者Aに代位する権利の主張が認められて仮処分決定があり、その異議訴訟において、Aと債務者の間の自動車売買契約は詐害行為だから取消請求権があると主張し、さらに、予備的に、Aに対する確定判決ある債権の執行のため右自動車に対し競売を申立てその登録がなされたと主張した場合、被保全請求権の同一性は失われない」（東京高判昭三一・四・二六判決時報七・四民八一）。

要するに、ここで挙げられた問題について、判例は、一貫していないように思われる。

（一二）　物権的請求と債権的請求

(1)　所有権に基く請求と賃貸借終了に基く請求

【289】　明渡請求の訴において、不法占拠を原因とする主張を賃貸借契約関係を原因とする主張に改めた場合には「訴ノ原因ヲ変更シタルモノト認ム」（東京地判裁判年月日不明、明三四（ワ）二〇九、新聞七六・一〇）。

【290】 所有権に基く土地明渡の訴において、無権限の不法占有の主張を、賃貸借解除の主張に改めても、「土地ノ所有権ヲ主張スルコトニ変更ナク随テ該土地ノ明渡ヲ請求スル原因事実ニ何等ノ動揺ヲ来ササルモノ……」（札幌地小樽支判大七・一一・一三新聞一五三七・二一）（同旨、東京地判大七・三・二八新聞一四一三・二四）。

【291】 建物明渡の訴において、賃貸借契約解除に基く原状回復の主張を、所有権に対する不法占有の主張に改めることは、「明カニ訴ノ原因ヲ変更シタルモノト認ムヘク……原告主張ノ新ナル原因ニ基ク新訴ハ……却下セサルヘカラス」（東京地判大一〇・九・二四新聞一九一五・二二）。

【292】 「家屋ノ所有者タル賃貸人カ賃貸借ハ真ニ合意上解除セラレタルカ故ニ之ヲ理由トシテ其ノ賃貸家屋明渡ノ訴ヲ提起シタルモ其ノ合意解除ヲ認ムヘキ証拠ナキノ故ヲ以テ請求棄却ノ判決ヲ受ケ其ノ判決確定スルトキ」でも、前訴の口頭弁論終結時に賃貸借が終了した事実を主張して、所有権に基く返還請求をすることができる（大判昭一二・七・一〇民集一六・一一七七）。

【293】 所有権に基く家屋明渡請求において、無権限の不法占拠の主張を、賃貸借の解除の主張に変更した場合、大判昭一五・二・七（民集一九・三・一七三）は、訴の変更があったと扱っている。

【294】 「家屋の明渡を請求し、理由として、所有権に基くことと被告の不法占拠を主張し、予備的に、原被告間の賃貸借契約の期間満了を主張し、控訴審でこれらの主張を全部撤回して被告が右家屋の賃借権を無断でもう一人の被告に譲渡したことを理由とする契約の解除を主張した場合、それは訴の変更であるが請求の基礎に変更はない」（最判昭二八・九・一一民集七・九・九一八）。

この点では、判例は、一貫している。

【295】 賃貸人の転貸人に対する土地明渡請求の訴において、転貸借の終了の主張を、所有者の土地明渡請求権の代位行使の主張に変更することは、「契約上ノ義務ノ履行トシテ……明渡ヲ求」めるのを変えて、「訴訟物トシテ物権的請求権ヲ主張」することになるから「請求ノ趣旨ハ前後変スルトコロアリ其請求ノ原因ハ

之ヲ変更シタルモノ……」(東京控判昭九・一二・二二評論二四民訴一六六)。

物権的請求権の代位行使の場合も同様である、というわけである。

【296】　XがYに対し家屋の明渡を訴求し、昭三〇・七・一二の第一審口頭弁論では、所有権に基く明渡請求であると陳述し、昭三一・一〇・一五の第二審口頭弁論では、使用貸借の終了を原因とするものであると陳述した。そこで一、二審ともに敗訴したYは、右の請求原因の変更が書面でされなかつたのは違法であると上告した。最高裁は上告棄却。

「しかし、控訴審においても訴の変更の許されることは明らかであり、民訴二三二条の明文によれば、請求の原因を変更するにとどまるときは、判決事項の申立である請求の趣旨を変更する場合と異り、書面によつてこれをなすことを要しないと解するのが相当である(大審院昭和一一年九月七日判決、法律新聞四〇三八号一二頁、同昭和一八年三月一九日判決、民集二二巻二二一頁各参照)。」(最判昭三五・五・二四民集一四・七・一一八三)。

使用貸借の終了の場合も賃貸借の終了の場合と同様であるわけである。

(2)　物権的請求と債権的請求――その二

【297】　「贈与契約の無効または取消を原因とする不当利得による農地の引渡請求を棄却した判決の既判力は、所有権に基づく農地引渡請求の後訴に及ばない」(広島高岡山支判昭三〇・五・二七下級民集六・五・一〇二六)。

【298】　船舶の引渡請求の訴で、原告の所有物を不法に占有していると主張したのに、船舶は被告の原告に対する債権の担保のために被告所有名義とし被告が占有し債権が弁済されたときには原告に引渡すという特約がありかつ右債権は弁済されたと認定して裁判することは「訴旨ニ副ハサル裁判ヲ為シタル不法アルモノ」である(大判大二・一〇・六新聞九〇五・二七)。

被告の占有の権源がなくなつたという点においては、(1)の場合と同じである。

(3)　物権的請求と債権的請求――その三

【299】「電話交換機の現状変更禁止の仮処分申請において、所有権に基く返還請求権が被保全権利であるとの主張に、電話交換機の使用契約の存在確認とその履行請求権を被保全権利に追加すると主張した場合、訴の変更に準ずる変更である」(東京地判昭三〇・五・七下級民集六・五・九三三)。

【300】「土地明渡請求訴訟において、賃借権者として地主に代位して不法占有者に明渡を求めると主張し、これを、土地の新所有者たる被告に対抗しうる登記ある賃借権として明渡を求める旨の主張に変更した場合、請求の基礎に変更のない請求原因の変更である」(東京高判昭三〇・一一・二四判決時報六・一一民二六七)。

事件の型が(1)と異なるのは次の点である。(1)においては、所有者でありかつ契約上の権利者であるものが原告である場合である。(3)においては、所有者であるか、然らずんば、使用権者であるものが原告である場合である。

(一三)　占有の訴と本権の訴

【301】占有の訴に本権に基く訴を予備的に追加することは、「占有の訴は本権の訴とは全く訴訟物を異にする特殊の訴として認められ、……。されば占有の訴と本権の訴とは全く請求の基礎を異にするもの……」(水戸地判昭五・六・二二下級民集一・六・九六九)。

【302】占有の訴としての家屋明渡の訴に、その認容されない場合を慮つて予備的に本権たる所有権に基く同一家屋の明渡の訴を併合した場合、

「占有の訴と本権の訴とが互に排斥せず両立し得ることは民法第二〇二条に徴して明白であるから、前述説明したとおりかかる請求併合の態様でなされた本件所有権に基く訴は不適法である」(大阪地判昭三三・五・二七下級民集九・五・九〇二)。

【附1】「原告の占有する土地に被告が建物を建設しはじめたので、原告は、原告の占有の妨害停止を訴求

し(A)、これに、右土地の返還の主張を加え、その理由として、占有が奪われたことを主張し(B)、予備的に、賃借権者であることを主張(C)、さらに賃貸人に代位して所有権に基き返還を求めることを主張(D)した場合、いずれも訴の変更であり、(C)(D)は請求の基礎を変更するものであり、(B)は請求の基礎に変更がない」(水戸地判昭二五・六・二二下級民集一・六・九六九)。

ここでも、一貫して、請求は、別異であると考えられている。

【附2】第三者異議の訴において、

「最初賃貸借ニ基ク占有権ノ存在ヲ以テ引渡ヲ妨クル権利ナリト主張シタルヲ二審ニ至リ右ハ所有権ニ基クモノナリト主張スルハ明ニ原因ヲ変更シタルモノ……」(大阪地判明四五(レ)一五九、裁判年月日不明、新聞八三二・二一)。

(一四) その他

【303】不法占拠者に対する土地明渡の訴において、賃借人として賃貸人に代位するとの主張を、その後土地所有権を取得したから所有権に基くとの主張に変えることは、「所有権ニ基ク請求ニ変更シタ」るもの(大判昭九・二・二七民集一三・四四五)。

六 その他

(一) 給付の目的物が単一であるかどうかに問題がありそうに思われる場合をとりあげる。

【304】組合の解散に基く組合財産管理人に対する訴において、残余財産の払戻の主張と出資金払戻の約束の履行とを主張した場合、「二個の事実を原因とせることは明かなれども」請求原因は一定である(東京地判明四一・一〇・一九新聞五三五・一一)。

一個の請求と考えているか、二個の請求と考えているかは、明らかでない。

【305】初め三〇〇円と二五〇円の二口の貸金計五五〇円を請求し、後に貸金と別の貸金とを一括して千

円の消費貸借に更改したから、そのうち五五〇円（右の二口の合計をいみする）の支払を求めると変更した場合、「是則請求ノ原因ヲ変更シタルモノナレトモ請求ノ趣旨ニ於テ変更スル所ナク又此ノ変更セラレタル請求原因ハ前示ノ三百円及二百五十円ノ貸金ヲ基礎トスルモノナレハ請求ノ基礎タル事実ニ於テ変更スル所ナキモノ……」（大判昭七・六・九民集一一・一一二五）。

XがYに金を貸した事実とXのYに対する債権を貸金に改めた事実とは別異である。だが、その金銭のうち五五〇円は終始共通である。更改により旧債務が消滅したとしても、五五〇円そのものには変りはない、とも考えられる。しかし、右判決は、これを請求の基礎として把え、請求の原因としては、法律要件に着目しているのである。

【306】「金七万円の支払請求訴訟において、売買契約の解除により一〇万円の前渡金のうち五万円を返還する際に、返還された五万円は前渡金の一部三万円と別途貸金二万円に充当する合意があったから、七万円は右前渡金の残金であるとの主張を、右五万円は前渡金の一部に充当する合意があったから、七万円は右前渡金の残金五万円と別途貸金二万円の合計であるとの主張に変更したことは、請求の基礎に変更のない、訴の変更である」（最判昭三一・九・二八民集一〇・九・一一九七）。

請求額七万円のうち五万円は、いずれにせよ、前渡金の一部であることにはかわりはない。だから、請求の変更があるということの意味は、前渡金七万円の請求の減縮と別途貸金二万円の請求の追加ということではあるまいか。

（二）登記訴訟

【307】不法の登記であるとして、抵当権設定登記の抹消を求める訴において、

「本件において、更正登記を命ずることは更正登記の性質からいつてできないこと右の如くであるが、この点をおくも、控訴人の抵当権設定登記の抹消の請求に基き、その登記内容が実体関係に即しないものであるとして、その更正を命ずることは、不法登記の除去という利益を請求した控訴人に対し、ほかならぬこの請求の故に請求と反対物である登記の強化という不利益を与えることになるのであり、到底申立の範囲に含まれているものとなすことができず、控訴人も現にこれを求めていないのであるから、それは正に当事者の申し立てない事項について判決することになる……」(東京高判昭三二・四・一三民集一〇・三・一六八)。

【308】　抵当権設定登記抹消請求の訴において、登記の上で被担保債権である貸金債権が被告の原告に対する債権でないのにそうであるように登記されている場合には、更正登記手続を求めうる場合であり、このような場合には、この点について、「被告に更正登記手続を命ずることは、原告の申立の一部を採用したことになる、と当裁判所は考える。」(東京地判昭三〇・一二・一五下級民集一〇・二五八六)。

しかし、「弁論の全趣旨に徴するとき、その請求に更正登記を求める趣旨を含むものとは解し難い」場合には、更正登記は許されるが登記全部を無効たらしめるものでない場合には、抹消請求は棄却のほかはない。(大阪高判昭三二・四・二六下級民集八・四・八三八)。

抹消登記と更正登記とは、全く別異である、ことは明らかであろう。そして、それらは、いずれも、請求の、いわば、目的物である。目的物が別異である場合には、その請求もまた別異であることはいうまでもあるまい。

【309】　Aの唯一の相続人Xが、Aの相続人としてその遺産たる建物につき相続を原因とする所有権取得登記をしたYを被告として、右登記の抹消を八重箇裁に請求したが、Xは相続権回復の手続を経ていない登記抹消請求は相続回復請求権の行使の方法でない、という理由で請求棄却の判決がなされ、これが確定した。X

は同一の訴を再び広島簡裁に提起した。

既判力の抗弁に対し、広島簡裁は、前訴も後訴も相続回復請求権の行使と認めて、訴を却下したが、第二審広島地裁では、前訴の確定判決は、前訴は相続回復請求権の行使ではなく、右権利を行使することなく起された前訴は民法八八四条の請求ではないとして、訴の利益を欠くものとして許されないとしたもので、前訴判決はその訴訟物たる登記請求権の存否については既判力を生じていない、として、第一審判決を取消して差戻した。広島高等はこれを支持して曰く、「前訴の請求棄却の確定判決は訴訟物たる前記請求権の不存在につき既判力を生じないものと解すべきである。」(広島高判昭三二・二・二〇民集一〇・二・六三)(三ケ月・前掲二三〇)。

八重簡易の考え方によれば、相続回復請求と登記抹消請求とは、別異の請求ということになろう。

【310】　所有権に基く土地の返還請求の訴において、右の土地についての所有権移転登記抹消請求の訴の原告勝訴の確定判決の既判力が採用されたところ、

「所有権に基づく物上請求権による訴において、原告がその基本たる所有権をも訴訟物たらしめんとする意思をその請求の趣旨で黙示的に表明し、裁判所も亦主文において黙示的にその存否について裁判をしている場合、その判決が当該所有権の存否につき既判力を有すべきことは勿論であるが、原判決が前説示の如く判示して前掲登記請求事件の確定判決に、請求の趣旨にも又主文にも何等表明されていない本件土地の所有権の存在についてまで既判力のあるものとしたことは失当……」(最判昭三〇・一二・一民集九・一三・一九〇三)(同旨、最判昭三一・四・三民集一〇・四・二九七)(三ケ月・前掲一六〇・二二二)。

かくて、右事件の原告が、その後、所有権確認の訴で敗訴する可能性が、論理的に、残ることになる。従って、所有権移転登記抹消請求を特定するのに必要な要素としての所有権は、主張された所有権である。

【附】「不動産所有権移転登記請求又は所有権確認請求の訴で原告敗訴の判決が確定しても、その理由の

いかんにかかわらず、右不動産が被告の所有であることは確定されない」（大判昭一六・七・一八民集二〇・九七四）（最判昭三一・四・三民集一〇・四・九九七）。

「甲所有の建物を乙が自己の所有名義に保存登記をして丙に売渡し、丙が丁のためその上に抵当権を設定してそれぞれの登記を経た後、甲の丁に対する抵当権抹消請求を棄却する判決が確定しても、丁が右抵当権を有することについて既判力は生じない」（大判昭一二・四・七民集一六・三九八）。

「土地所有権移転登記手続を命ずる判決が確定しても、理由の如何にかかわらず、所有権の帰属はこの判決により確定されない」（宮城控判昭七・一一・一〇評論二二民訴一九）（最判昭三〇・一二・一民集九・一三・一九〇三）。

【311】 停止条件附売買契約による所有権の移転請求権保全の仮登記の抹消を停止条件の不成就確定を理由として求める訴において、「本訴ノ原因トシテ当初ハ単独所有権ヲ主張シナカラ後ニ至リテ共有権ヲ主張セルハ………等シク所有権ニシテ法律要件トシテ何等差異アルモノニアラサレハ其何レヲ主張シタリトスルモ之ヲ以テ訴ノ変更トハ謂フヘカラス………」（大阪地判大七・九・五新聞一六〇八・一三）。

所有権の確認請求を共有権の確認請求に変更した場合も、同じような考え方をするつもりなのであろうか。

【312】 「Sニ対スル文書偽造行使詐欺被告事件ノ附帯私訴ハ本件抵当権設定行為カ控訴人ヲ代理スル権限ナキSノ代理行為ニヨリ為サレタルコトヲ理由トシテ其抵当権設定登記ノ抹消ヲ請求シタルモノナルコト……明瞭ニシテ抵当権ヲ以テ担保スル本件消費貸借債権ノ存在セサルコトヲ主張シテ之カ確定ヲ求メ其抵当権登記ノ抹消手続ヲ求ムル本訴トハ全然別個ノ訴タルコト論ヲ俟タ」ず（東京控判大六・一二・二五新聞一三七二・二六）。

【313】 「本件土地ノ売買ニ因ル所有権移転登記カ他人ノ文書偽造行使ノ所為ニヨリ為サレタル不正登記ナルコトヲ理由トシテ被告ヲ相手取リ之カ抹消手続ヲ求ムル訴ニ於テ其ノ請求棄却ノ判決カ確定シタル後ニ至リ更ニ本訴ニ於テ右同一土地ノ売買カ公序良俗ニ反シ無効ナルコトヲ理由トシテ同一登記ノ抹消手続ヲ請求

スルモノニシテ」これは「共ニ所有権ニ基キ其ノ妨害ヲ為ス同一ノ登記ノ排除ヲ求ムル趣旨ニ於テ其ノ訴訟物ヲ同一ニスルモノ」(朝鮮高判昭一四・九・二九評論二九民訴八一)。

【312】と【313】の結論の相異はなにに基くか。抵当権の単一性に着目するかしないかの相異に基くようである。

(三)　その他

【314】　X対Yの家督相続回復請求事件において、明一三・五・一Sは長男Yを廃嫡、二男Iを嗣子とし、明二〇・一・二五S隠居、I相続、明二四・一・一九I死亡、長男A相続。明二五・九・二四A死亡。明二六・一・二一SはAの死跡再相続の届出。この日、SはX廃嫡の願出をし、その許可を得、Yを相続人に定めた旨届出。翌明二六・一・二二S死亡、Y相続。

「Xが一方に於てはSにより為されたるX廃嫡の手続無効にして再相続を為したるSの家督相続権はXにありと主張すると共に、他の一方に於ては右Sが為したる再相続は無効にしてXの兄Aの家督相続人は当然Xなりと主張することY主張の如くなるも、請求の原因にして互に相矛盾し相容れざる関係に立つものにあらざる以上一個たると数個たるとにより敢て訴の原因を不定ならしむるものにあらず」(東京地判大五・六・七新聞一一五三・二六)。

訴の原因は不定ではないが、請求の原因は数個であると考えているようである。だが、請求は一個なのか数個なのか。

【315】　XがYから買受けた土地の一部がAの所有であつたためXがAに三五〇円を弁償したので、この三五〇円をYに対して求めた訴において、善意の買主としての損害賠償の主張を、代金減額の主張に改めた場合、

「損害賠償ト謂ヒ代金減額ト謂フハ単ニ請求ノ態様ヲ異ニスルニ過キスシテ売買物件ニ不足アルコトヲ原因

トスル基本ノ法律関係ニ至リテハ終始一貫シテ渝ルトコロナク……事実上及法律上ノ申述ヲ更正シタル程度ノモノ……」(大判昭三・五・二新聞二八七三・一一)。

だから、訴の原因に変更はないというのであろう。しかし、請求の原因にも変更はないと考えているかどうか。

【316】　XがYに対し、売買契約の成立を前提として、所有権確認物件引渡請求の訴を起した。これよりさきに、YのXに対する売買残代金八〇円の請求を売買関係不成立を理由として棄却した確定判決があつたが、その「ノ既判力ハYカXニ対シ残代金八〇円ヲ請求スル権利ナキコトノミニ係リ其ノ請求ノ基本トナリシ本件売買関係ノ存否ニ及ハサルモノナルハ多言ヲ要セス」(大判昭六・七・六評論二〇民訴四八八)。

そうすると、売買関係存在確認の訴で勝訴する可能性が論理的に残ることになる。そうすると、売買関係確認の判決確定後に、前訴と同一の八〇円を訴求した場合に、この訴が前訴の確定判決の既判力によつて妨げられる理由は、売買関係の不成立ではなく、その八〇円の請求は既判力を以て否定されているということであり、売買関係は、その八〇円の特定のために主張された事情に止まる、ということになろう。ところで、その八〇円を特定するのに必要な事情は、売買関係としては前訴で否定されているとすれば、売買以外の事情によつてその八〇円は特定されていたことになる。このことは、注目に値するであろう。

【317】　xのYに対する(賃貸借解除後の不法占有を理由とするらしい)家屋明渡及び明渡ずみまでの月五〇円の割合の損害金請求棄却の判決昭和二四・七・六が確定した。XはYに対し、同一家屋の明渡と、昭和二四年七月七日以降明渡ずみまでの月二〇〇円の割合の損害金の支払とを訴求した。第一審大阪地方は、右請求

を既判力により棄却し昭和二五・一〇・二五下級民集一・一〇・一七一八(三ケ月・前掲二二三)、月一五〇円(差額)の割合の損害金支払請求は、その前提たるXの明渡請求権がないという理由でこれを棄却した。「前記確定判決は原告の所有権、被告の占有及びその権原について何等の判断を示さず理由不備の判決であつて既判力を生ずるに由ないものである」、「原告は本訴において右判決後における被告の不法占有を理由としているのであるから、仮に右判決が既判力を生ずるものであるとしても、本訴における原告の主張はこれによつて妨げられるものではない」というXの主張に対し、判旨は次のように答えている。

「……右判決によつて確定せられた権利の範囲は、……原告が被告の占有によつて受けている所有権妨害の停止を求める請求権(いわゆる物権的請求権又は物上請求権)及びこれに基く損害賠償請求権(一ケ月金五十円の割合による)であつて且つこれに限られ、従つて本件家屋に対する原告の所有権、被告の占有及びその権原の各存否は単に右物上請求権存否の判断の前提として判断すべき事項たるに止まり、それ自体右確定判決の既判力の内容を成すものでなく従つて又これらの存否が右の判決で如何ように判断せられようとも、それはこの判決の既判力の範囲を知る上に何等の関係がないわけであるから、この判決が既判力を生じえないものとする原告の主張は失当であり、……そうして被告は、……昭和二十二年十二月頃以降引続き本件家屋に居住(即ち占有)しているのであつて、前判決に接着する口頭弁論の終結後に始めて占有し又はその占有の性質を変更したものではないから、その占有は前後を通じ同一のもの、言い換えると前訴における物上請求権も本訴におけるそれも共にその発生事実(占有)を一にし従て本訴における物上請求権もまた前記確定判決の既判力の範囲内のものといわなければならず、なお右物上請求権を前提とする損害賠償請求権(但し一ケ月金五十円の割合による)もまた同様であるから、原告の右主張はいずれも失当である。」

つまり、月一五〇円の割合の損害金支払請求は、既判力により妨げられることなく適法であるが、本案審理の結果理由なし、というわけである。この損害金請求を特定する要素は、特定家屋の不法占拠であろう。しかも、その不法性は、前訴でも後訴でも否定されたものである。

三　確認訴訟の訴訟物

問題点が、給付訴訟における場合と、共通であると考えられる事件の判例は、適宜、第二章に織りこんだ。本章では、従つて、残余のもののみを、とりまとめるのである。

【318】「XはZ所有の建物につきXが有する賃借権の確認を右建物の敷地所有者Yに対し求め、控訴審で、Xが右建物につき有する占有権の確認と占有妨害禁止とを求めた場合」仙台高判昭二九・一二・二八（下級民集五・一二・二一五四）。は、これを請求と請求原因を変更したものとして扱つている。

【319】共有権確認請求を共有の性質を有する入会権の確認請求に変更することは、請求原因の変更でなく、訴の変更でもなく、一定の申立の更改でもなく、単一の申立の内容の訂正に止まり、「申立ノ拡張減縮」に含まれるが、かかる申立のなかには、共有の性質を有せざる入会権の確認は含まれない。「入会地ニ対シ共有関係ナルモノノ外ニ独立セル共有ノ性質ヲ有スル入会権ト称スル権利カ併存スルモノニ非スシテ其入会権ナルモノノ本体タルヤ民法ニ謂フ所ノ共有関係其ノモノニ外ナラサルナリ」であり、「共有ノ性質ヲ有スル入会権ト共有ノ性質ヲ有セサル入会権トハ元ヨリ権利ノ性質ヲ異ニシタル別個ノ法律関係」であるからである（盛岡地判昭二・四・二二新聞二七二三・一六）。他方、入会権確認の訴において、共有の性質を有する入会権が認められない場合に、共有の性質を有しない入会権を認めることは不当でないとする判例があり、いずれも、「学者ノ所謂総有権ノ範囲ニ属スル」からであるといつている（盛岡地判昭五・七・九新聞三一五七・九）。

四　形成訴訟の訴訟物

【320】「商法一六三条ノ二ニ基ク訴ニ於テハ総会招集ノ手続又ハ決議方法カ違法ナルコトヲ以テ訴ノ原因トナスモノナレハ原告カ一ノ形式上ノ違法アリトノ事実ニ至リ本件ノ如ク通知書ノ記載事項ヲ超エテ決議シタリトノ他ノ形式上ノ違法アリトノ事実ヲ併セテ主張シタリトスルモ……畢竟スルニ事実上ノ申述ヲ補充シタモノ……」（長野地松本支判昭二・七・一三新聞二七三五・一〇）。

（注）**旧商一六三条二項**　株主ハ総会ニ於テ決議ニ対シ異議ヲ述ヘタルトキ又ハ正当ノ理由ナクシテ総会ニ出席スルコトヲ拒マレタルトキニ限リ……前項ノ訴ヲ提起スルコトヲ得

決議の取消原因の変更は、訴の原因の変更ではないというわけである。請求の原因の変更でもないと考えていたのであろうか。

【321】「一ノ婚姻訴訟ノ権利拘束中ニ之ニ併合セス又ハ反訴トセスシテ他ノ同種又ハ異種ノ婚姻訴訟ヲ独立ニ提起シタルトキハ権利拘束ノ抗弁ヲ提出シ得ヘキハ勿論……故ニ原院カ被上告人ノ起シタル離婚ノ訴ノ権利拘束中独立的ニ起シタル上告人ノ離婚ノ訴ヲ権利拘束ノ効力ニ基キ却下シタルハ正当ナリ」（大判大一〇・二・八民録二七・二二三七）（同旨、大判昭九・三・三〇新聞三六八六・一三）。

「同種ノ婚姻訴訟」について、「併合」という言葉を使用している。これは一の離婚原因に基く離婚の訴訟において、他の離婚原因を追加した場合に、請求の併合がある、という考え方なのであろうか。

【322】離婚請求において、第一次に姦通の事実を、予備的に重大な侮辱の事実を主張した場合、「単一ノ申立ニヨリ一箇ノ離婚ノ判決ヲ求メタルモノニ外ナラ」ない（大判昭一八・一二・二三民集二二・一二五四）。

この判決をみると、離婚原因が複数個主張されても、離婚請求は単一である、と考えているようにみえる。それとも、離婚訴訟の場合には、例外的に、請求の複数にもかかわらず、判決は一個でなければならない、というのであろうか。

【323】「民法第七七〇条によると一般的に婚姻を継続し難い重大な事由のあることを裁判上の離婚原因とし、配偶者が強度の精神病にかかり回復の見込がない事実はその一例をあげたにすぎないものと解すべきであるから……第四号所定の離婚原因にあたらない場合でも直ちにその請求を棄却すべきでなく、反対の事情の認められない限り離婚を求めている当事者は婚姻を継続し難い重大な事由があるものと主張をしているものとして判断を加うべきである。」（広島高松江支判昭三二・七・五民集一〇・六・三五三）。

離婚請求は、原則として、民法七七〇条第五号に基くものと、解釈されるべきであり、その場合には、離婚請求は単一であり、第一号乃至第四号の事由は、攻撃方法に止まる、というのであろう。そうすると、「反対の事情」が認められる場合、すなわち、第一号乃至第四号のいずれかのみによることが主張されている場合には、数個の離婚原因の主張は、数個の離婚請求を意味することになるのだろうか。

【324】親族会決議取消の訴において、「第一審ニ於テハ親族会決議ノ手続不法ナル事実ヲ以テ請求ノ原因ト為シタルニ拘ラス第二審ニ至リ新ニ該決議ニ因リテ選定セラレタル後見監督人ノ不適当ナリトノ事実ヲ請求ノ原因ニ附加シタルモノナレハ原院カ訴ヲ変更スルモノト為シテ之ヲ却下シタルハ失当ニ非ス」（大判明三九・三・二四民録一二・四五七）（同旨、東京地判大一四・三・一三新聞二四一六・二二）。

決議の手続の違法と決議の内容の不当とが区別され、この区別が、決議の取消請求を特定する要素として、取消されるべき決議が単一であるにもかかわらず、必要であると考えられている。

【325】親族会決議取消の訴において、「最初本件親族会ハM所有ノ不動産売買ヲ為スヘキコトヲ決議シタリ

ト主張シ乍ラ後ニ至リ本件親族会ハ訴外Nヲ後見人ニ選定スルノ決議ヲ為シタリト陳述スルニ至リタルコトハ…其本来ノ主張即チ本件親族会カ原告ニ通知ヲ発セスシテ決議ヲ為シタルハ違法ナルヲ以テ之カ取消ヲ求ムトノ主張ヲ変更シタルニ非ス…故ニ是ヲ以テ訴ノ原因ヲ変更シタリト謂フヲ得ス」（宇都宮地判大九・一〇・一四新聞一七六一・一六）。

右判決における事件は、決議が手続上違法であり、かつ、内容上も不当で（この点は【324】と同じ型）、その内容上不当であることの事由を変更した場合である。【324】の論法でゆくと、この場合も訴の変更ないし併合となろう。そうすると、「訴ノ原因」に変更のない「訴ノ変更」ということになる。そういうつもりなのであろうか。

五　執行関係訴訟の訴訟物

【326】「民事訴訟法第五百四十六条カ……第五百四十五条ノ規定ヲ準用スルハ承継ニ関スル異議モ亦訴ヲ以テ之ヲ主張ス可ク単ニ異議ノ申立ヲ為スヲ以テ足レリトセス又訴ヲ以テ異議ヲ主張スルニ於テハ請求ニ関スル異議ノ訴ノ外承継ニ関スル異議ヲ特ニ別個ノ訴ヲ以テ主張スルコトヲ要セス寧ロ総テノ異議ヲ同時ニ主張スヘキ法意ナリトス去レハ債務者カ承継ニ関スル異議ヲ主張シテ一箇独立ノ訴ヲ提起スルコトハ固ヨリ妨ケナキモ請求ニ関シテ数箇ノ異議ヲ主張シ同時ニ承継ヲ争フコトヲ以テ一箇ノ異議ト為ストキハ是レ本来請求ニ関スル一箇ノ訴ニシテ二箇ノ訴ヲ一箇ノ訴ニ併合スルモノニ非サルナリ……」（大判明四一・六・一〇民録一四・六六五）（XのYに対する執行異議の訴で、NY間の債権譲渡の無効をXは主張した）。

これは、承継を争うことと債権の存在を争うこととが一致する場合である。この場合に、一個の請求と把えるのは、債権が単一であり、その債権についての争であるからである。

【327】「仮処分ノ目的物ニ付所有権ヲ主張スル第三者カ該仮処分ノ執行ニ対シ異議ノ訴ヲ提起シタル後該仮処分ノ本案判決カ確定シ之ヲ債務名義トシテ仮処分目的物ニ対シ強制執行カ開始セラレタル場合ニ於テハ第三者ハ其所有権ヲ主張シテ右仮処分執行異議ノ訴ノ請求ノ趣旨ヲ変更シテ右強制執行ニ対スル異議ト為スコトヲ得ルモノトス」(大判昭一一・一一・二裁判例(一〇)民二五三)(仮差押から本差押に移行した事案につき、同旨、東京高判昭三三・二・五下級民集九・二・一五九)。請求の変更があると考えられている。

【328】「和解無効確認の訴提起後に右和解調書に基く請求に関する異議の訴を提起した場合、後の訴が、和解の無効を理由とする場合でも、後の訴は和解に基く債務名義の執行力の排除を直接の目的とする訴で、彼此性質を異にする別個の訴訟であるから、二重訴訟とはならない」(名古屋高金沢支判昭三一・一二・五下級民集七・一二・三五六二)。

無効確認と請求異議とは別請求であるというのである。請求異議は確認訴訟であるという立場に立てば、どうなるであろうか。

【329】「原告は訴状により執行異議の訴を提起して前記債務名義に基く強制執行不許の判決を求めているのであるから、もしその請求の原因が異議の訴として不適法なものであれば、訴却下の判決をすべきであつて、これを執行方法に関する異議の中立事件として決定により裁判することは」民訴法一八六条に違背する(広島高判昭三四・七・一三民集一二・七・二八三)。

請求異議と執行方法異議は別請求であるというわけである。

六　その他の訴訟の訴訟物

(一)　無効の訴と無効原因(二の三(六)と比べてみよ)

【330】　選挙無効の訴において、選挙権のない者のなした投票を有効としたことを不法とする主張を、被選挙人が何人であるか確認し難い投票を有効としたことを不法とする主張に改めることは、「訴ノ原因ヲ変更セスシテ事実上又ハ法律上ノ申述ヲ補充シタルモノニ該当スル……」(大判明四二・二・一九民録一五・一一七)。

おそらく、請求の変更もない、といいたいのではなかろうか。無効とさるべき選挙は単一であるからである。

【331】「原告等ハ当初被告会社ハ其ノ引受株数及払込株金僅少ニシテ会社資本ノ鞏固ト目的ノ事業遂行ニ障害アルヲ以テ其ノ設立無効ノ判決ヲ求ムト主張シ乍ラ其ノ後ノ口頭弁論ニ於テ発起人ノ法定数ニ欠缺アルヲ以テ会社ノ設立ハ無効ナリトノ主張ヲ附加セルハ明ニ訴ノ原因ヲ変更セルモノニシテ新訴ノ提起ニ外ナラサルカ故ニ……」(大阪地判昭二・五・二八新聞二七一二・七)。

審理さるべき事実が全く異るので、別訴によらせるのが適当だという、訴訟経済上の実質的考慮がありはしないか。しかし、【330】とは矛盾することになりはしないか。

(二)　無効の訴と無効確認の訴

【332】　招集権限のない者が招集した総会決議につき、商法一六三条に基く「決議ヲ無効トナス創設判決ヲ求ムル」訴に、株主総会決議無効確認の請求を追加することは、「新ニ請求ヲ併加変更シタル」ものであるが「其ノ原因ニ関シテハ何等ノ変更ナキモノトス」べきもので、しかし本件の場合は当然無効だから、商法一六三条の訴は不適法(東京控判昭八・一二・一五新聞三六六三・七)。

総会決議無効の訴は形成の訴であるという説に立っており、形成の訴と確認の訴とは異る、というのであろう(【320】を参照せよ)。

(三)　無効確認と取消(一の二(二)と比べよ)

【333】 換地予定地の指定処分の無効確認の訴において、主張された事実に基くときは、処分は無効ではなく、取消されるべきである場合、

「原告の無効確認を求める本訴は処分が当然無効でない場合は取消を求める請求をも包含しているものと認め被告の原告に対する本件換地予定地指定を取り消すべきものとする。」(松山地判昭二五・六・一行裁例集一・四・六〇六)。

このように、原告の意思を解釈するのは、なぜであろうか。無効と取消は、請求を理由あらしめる判断の上での差で、請求の特定は他の要素で足りるという考えがありはしないか。

【334】 Xは農業委員会を被告として、買収計画に関する訴願棄却裁決の取消の訴を提起した。その後、県知事からXに買収令書が交付された。そこで、Xは、被告を県知事に変更し、買収処分無効確認請求に変更し、控訴審で買収処分取消請求に変更した。取消請求は出訴期間経過後を理由に却下された。

「前者と後二者とはまったく同一請求であるということはできないが、買収計画の実体的違法を攻撃する限りにおいては、右三つの請求は、同じ請求を含むものと解して妨げがない。してみると最後の買収処分取消請求は、買収行為の実体的違法を攻撃する部分に関する限りすでに、買収令書交付前から訴訟が提起されていたのと同視すべきであり、右の部分に関する限り、本件買収処分の取消請求は、出訴期間の遵守において欠くるところがないといわねばならない。」(最判昭三一・六・五民集一〇・六・六五六)。

無効確認請求は法的呼称の誤りで正しくは取消請求であったのだ、とはいっていない。取消請求をも包含している、ともいっていない。別請求だとしながら、「同視すべき」であるといっているのである。

あとがき

以上、不十分ながら（十分であるためには、訴訟記録を調べる必要が、ありそうである）、各判決を、事案に即して、（民訴という角度で）分析してみた。さて、次に、その綜合である。しかし、判例は、部分的には、一貫しているものがあったが（二(八)、四(一六)、五(一二)(1)、(一三)）、全体として一貫しているといいがたく、その統一的な姿を構成することが甚だむつかしい。そこで、筆者は、その統一的な姿を構成することは、各読者に委ね、筆者の画く姿は、別稿により、これを示すこととしたい。

判 例 索 引

大審院判例

最高裁判所判例

控訴院判例

高等裁判所判例

地方裁判所判例

区裁判所判例

簡易裁判所判例

著者紹介

小《こ》 山《やま》 昇《のぼる》 北海道大学教授

総合判例研究叢書 民事訴訟法（4）

昭和37年5月25日 初版第1刷印刷
昭和37年5月30日 初版第1刷発行

著作者 小 山 昇

発行者 江 草 四 郎

東京都千代田区神田神保町2ノ17
発行所 株式会社 有 斐 閣
電話九段（331）0323・0344
振替口座東京370番

蔦友印刷・稲村製本

総合判例研究叢書 民事訴訟法(4)
(オンデマンド版)

2013年1月15日　発行

著　者　　小山　昇
発行者　　江草　貞治
発行所　　株式会社 有斐閣
〒101-0051　東京都千代田区神田神保町2-17
TEL　03(3264)1314(編集)　03(3265)6811(営業)
URL　http://www.yuhikaku.co.jp/

印刷・製本　　株式会社 デジタルパブリッシングサービス
URL　http://www.d-pub.co.jp/

AG496

ISBN4-641-91022-7　Printed in Japan